Quand les enfants s'en mêlent

ATELIERS ET SCÉNARIOS
POUR UNE
MEILLEURE MOTIVATION

Lisette Ouellet

Préface:
Jacqueline Caron

Les Éditions de la Chenelière inc.
MONTRÉAL

Quand les enfants s'en mêlent

Lisette Ouellet

© 1996 Les Éditions de la Chenelière inc.

Coordination: Patrick St-Hilaire
Révision: Michelle Martin
Correction d'épreuves: Ginette Gratton
Conception graphique et infographie: Pauline Lafontaine
Illustrations: Josée Bégin
Conception de la couverture: Annie Raymond

Données de catalogage avant publication (Canada)

Ouellet, Lisette

Quand les enfants s'en mêlent: ateliers et scénarios pour une meilleure motivation

Comprend des réf. bibliogr.

ISBN 2-89310-313-8

1. Enseignement – Travail en équipe. 2. Motivation en éducation. I. Titre.

LB1032.093 1995   371.3'95   C95-941449-5

Les Éditions de la Chenelière inc.
215, rue Jean-Talon Est
Montréal (Québec) Canada H2R 1S9
Téléphone: (514) 273-1066
Service à la clientèle: (514) 273-8055
Télécopieur: (514) 276-0324

ISBN 2-89310-313-8

Dépôt légal: 1er trimestre 1996
Bibliothèque nationale du Québec
Bibliothèque nationale du Canada

Imprimé au Canada

2 3 4 5   00 99 98 97

L'Éditeur a fait tout ce qui était en son pouvoir pour retrouver les copyrights. On peut lui signaler tout renseignement menant à la correction d'erreurs ou d'omissions.

À ma fille Annie, qui se dirige présentement dans l'enseignement.

«Annie, je te dédie cet ouvrage comme un peu de moi-même. C'est ma façon de voir l'enseignement, et l'élève en particulier. Pour moi, l'élève devrait être au cœur de ses apprentissages. Plus son engagement dans ses apprentissages et dans la modification de son comportement est profond, plus sa motivation augmente, et son bonheur à l'école également. C'est ainsi que nous lui donnons les outils qui lui seront nécessaires tout au long de sa vie. Je sais que c'est tout un défi qui t'attend dans l'enseignement, mais un défi passionnant qui laissera place à l'innovation et que ton esprit créateur, ton dynamisme et tes talents artistiques t'aideront à relever.

Je voudrais, Annie, que cet outil de travail soit un moyen parmi tant d'autres pour t'aider à gérer les différences dans ta classe, un atout pour motiver tes élèves tout en leur donnant des défis selon leurs capacités.»

En rédigeant ce document, j'ai pensé aussi à toutes les enseignantes et à tous les enseignants à qui j'ai donné de la formation en gestion de classe. Je leur suis reconnaissante de m'avoir incitée à produire cet outil de travail en me manifestant leurs besoins en ce sens.

Remerciements

Mes premiers remerciements vont aux élèves à qui j'ai eu la joie d'enseigner depuis le début de ma carrière. À leur contact, j'ai dû reconsidérer mes interventions et me ressourcer pour mieux répondre à leurs besoins.

J'adresse un merci particulier à Reine Deschamps qui, depuis huit ans, m'a si bien secondée et, parfois, m'a obligée à me remettre en question dans cette grande aventure pédagogique, et à Danielle Lavoie, notre responsable en adaptation scolaire, qui nous a fait confiance et s'est engagée grandement dans notre démarche.

Je tiens aussi à exprimer ma gratitude aux membres de ma commission scolaire qui m'ont toujours encouragée à innover et à partager mes expériences.

Ma reconnaissance va également à Jacqueline Caron, grâce à qui j'ai pu visualiser l'ensemble de mon projet et créer des liens entre tous les éléments qui touchent l'enseignement et l'apprentissage. Je la remercie aussi d'avoir cru en moi en me fournissant l'occasion de donner des sessions de formation en gestion de classe. Vous retrouverez dans ce livre divers éléments de sa philosophie d'une gestion participative.

Ma famille fut pour moi d'un grand soutien. Sans son appui, ces écrits n'existeraient pas. Merci à mon conjoint Robert Raymond, qui a bien voulu relire mon manuscrit, à mes filles Annie, qui a conçu la couverture et Mélissa, à qui je dois le titre de l'ouvrage, ainsi qu'à Carl pour son encouragement. Merci à vous tous de m'avoir permis de vivre cette expérience.

Préface

«Si les enfants ne peuvent apprendre comme nous leur enseignons, enseignons-leur comme ils peuvent apprendre.»

L'enseignante est sans aucun doute une des personnes pouvant le plus influencer la motivation scolaire de l'élève. Créer un climat d'accueil et de complicité, engager l'élève dans un projet d'apprentissage, favoriser sa participation à l'intérieur de la classe, soutenir ce dernier pour qu'il puisse persévérer dans le défi qu'il s'est fixé, voilà des clés importantes à saisir si l'on désire aider l'élève à re-créer son savoir.

Toutes ces interventions centrées sur l'élève peuvent être faites dans la mesure où l'enseignante croit en son potentiel et en celui de ses élèves, accepte de prendre des risques et développe une approche participative en classe.

«Faire avec…» «partager le pouvoir à l'intérieur de structures participatives…», ce sont des croyances qui animent Lisette Ouellet depuis longtemps. C'est une enseignante qui s'est placée en projet de croissance pédagogique, de recherche et d'expérimentation dès le début de sa carrière.

Témoin de son évolution pédagogique depuis une douzaine d'années, je l'ai vu développer un modèle à la fois humaniste et participatif. Soucieuse de s'adapter aux différentes clientèles avec lesquelles elle a travaillé, elle s'est orientée vers un modèle pédagogique organisationnel capable de répondre à la gestion des différences: la CLASSE-ATELIERS.

Cet ouvrage pédagogique lève le voile sur les préalables nécessaires à la gestion des différences: c'est-à-dire voir les différences présentes au sein de sa classe, les accepter, leur donner le droit d'exister, croire qu'il est possible de les gérer et de développer une organisation de classe riche, variée et ouverte à l'implication des élèves.

Quand les enfants s'en mêlent constitue un document de référence intéressant pour l'enseignante ou l'enseignant qui désire renouveler ou rafraîchir ses interventions pédagogiques. L'auteure y livre la synthèse de ses apprentissages en présentant d'abord un cadre théorique sur le fonctionnement par ateliers. Elle décrit aussi des éléments-pivot du fonctionnement du cerveau, de la gestion mentale, de la gestion de classe participative et de l'exploitation du jeu comme moyen d'apprentissage. Enfin, elle offre aux pédagogues une banque de scénarios d'apprentissage pouvant être vécus tour à tour à l'intérieur des ateliers.

Une des richesses de cette réalisation pédagogique est de présenter l'atelier non pas comme une fin, mais plutôt comme un moyen permettant d'actualiser le scénario d'apprentissage. Trop souvent, en classe, on oublie cette dimension importante de la planification de l'enseignement pour se centrer uniquement sur l'organisation matérielle des activités.

Cette façon pluraliste de voir l'atelier permet de lui donner différentes vocations. Servira-t-il à l'exploration, à l'approfondissement, à l'évaluation, à la consolidation ou à l'enrichissement?

Ce modèle intégrateur de la classe-ateliers fait en sorte que ce fonctionnement devient une façon de vivre, d'apprendre et de se développer au lieu d'être un à-côté, une période bloquée ou parfois même un accident de parcours.

Étant moi-même une «femme de terrain», je félicite et remercie Lisette d'avoir accepté de témoigner de sa passion de l'éducation et de l'enseignement. Plus que jamais, les défis sont grands dans le monde scolaire. Les enseignantes et les enseignants ont donc besoin de pédagogues capables de vulgariser les concepts théoriques et de présenter des manières concrètes de vivre l'enseignement et l'apprentissage dans le quotidien.

Puisse ce livre nourrir la pratique des éducatrices et des éducateurs et les inviter à mettre en mots toutes les belles histoires d'amour qu'ils vivent avec leurs élèves.

Jacqueline Caron
Bic (Québec)
Septembre 1995

Avant-propos

Vingt-sept années d'enseignement dans différentes matières du primaire au secondaire, du régulier à l'adaptation scolaire.

Vingt-sept années de questionnement avec des groupes plus ou moins difficiles; des moments de satisfaction, des moments d'inquiétude et même des moments de découragement.

J'ai vu, j'ai entendu, j'ai vécu…

J'ai vu des élèves non motivés dans mes cours lorsque mes explications étaient trop longues.

J'ai vu des élèves décrocher de mes cours car ils ne pouvaient pas suivre.

J'ai vu des élèves indisciplinés parce qu'ils avaient terminé leur travail.

Je me suis vue et entendue faire des sermons sans résultats valables.

Je me suis vue mettre un terme à un travail d'équipe parce que les élèves ne répondaient pas à mes exigences.

J'ai vu des élèves s'ennuyer lors de séances de corrections collectives.

Je me suis vue incapable de répondre à toutes les mains levées, faute de temps.

J'ai vu des élèves trouver mes cours ennuyeux car le contenu n'était pas signifiant et que les élèves n'étaient pas impliqués.

J'ai vu des élèves non autonomes attendre à la minute près que je leur dise quoi faire.

Ces élèves n'étaient pas heureux à l'école et je vivais des moments d'insatisfaction et d'impuissance. Ils décrochaient.

J'ai vu, j'ai écouté, j'ai vécu, j'ai apporté des changements, j'ai commis des erreurs, j'ai analysé, je me suis fait confiance, j'ai fait confiance aux élèves, je me suis reprise, je me suis même permis des expériences un peu farfelues et j'ai appris avec les élèves.

J'ai entendu au secondaire un élève malheureux à l'école me dire après une période de jeu de baseball en orthographe: «Tu as encore réussi à me faire travailler.»

J'ai vu des filles du professionnel court (4e secondaire) heureuses de préparer leur séance hebdomadaire de garderie en puériculture et celles de 3e secondaire faire des efforts incroyables en français pour rédiger un conte pour présenter aux enfants.

J'ai vu des élèves de 1re secondaire prendre plaisir à jouer au bingo pour améliorer leurs connaissances en géométrie.

J'ai vu un groupe de garçons de 1re secondaire heureux de monter un projet de visite d'une usine de bois de sciage. Faire du français était beaucoup plus facile.

J'ai vu des élèves de 6e année rester volontairement après la classe pour s'avancer dans leur plan de travail de la semaine.

J'ai vu des élèves en géographie de 1re secondaire aimer mes cours de géographie, car le matériel et les activités étaient diversifiés. (Ils faisaient même un rallye avec la boussole dans la ville.)

J'ai vu des élèves de 5e année vraiment enthousiastes pendant les 6 mois de préparation à un voyage dans Charlevoix sur le thème Le temps d'une paix.

J'ai vu un élève en difficulté faire deux années en une en français parce qu'il était motivé et avait appris à apprendre par la gestion mentale.

J'ai vu des élèves de 2e année attendre impatiemment leur période d'atelier de la semaine et ajuster leur comportement de la semaine en conséquence.

J'ai vu des élèves heureux de venir me rencontrer en orthopédagogie, car le jeu les aidait à apprendre.

J'ai vu des élèves en difficulté heureux de monter une émission Info-Jeunesse et fiers de la présenter à leurs parents.

J'ai entendu des élèves dire: «Pas encore une récréation».

J'ai vu des élèves en difficulté changer complètement d'attitude face à l'école. Les ateliers sont devenus une source de motivation et ils y ont fait des progrès scolaires.

J'ai vu des élèves devenir très autonomes et très responsables car ils ont eu la possibilité de faire des choix et de les assumer.

J'ai vu des élèves s'entraider aux ateliers.

J'ai entendu un élève dire en entrant dans la classe: «C'est beau, c'est beau, c'est nouveau».

J'ai vu des élèves en difficulté préparer des ateliers pour l'ensemble de la classe.

Et j'étais heureuse et comblée comme enseignante et les élèves apprenaient.

D'expériences en expériences, j'ai pris conscience que le fait de croire aux enfants, la confiance que j'avais en moi et celle que m'ont donnée mes supérieurs m'ont aidée à cheminer.

Le droit à l'erreur que nous nous sommes donné mutuellement nous a permis d'avancer sans nous décourager.

De plus, le fait d'avoir vécu diverses expériences autant dans l'enseignement qu'en animation pédagogique m'a permis de partager avec un grand nombre de collègues tous différents les uns des autres. Chacun à sa façon m'a appris, m'a apporté un peu de lui-même, des façons de voir, de comprendre et d'agir.

Les colloques, les congrès, les séances de formation, les lectures de revues et de volumes à caractère psychologique et pédagogique m'ont permis de me ressourcer et m'ont encouragée à aller toujours plus loin en relevant de nouveaux défis.

Nous voulons pour notre société de demain des élèves efficaces, autonomes, responsables et de plus créateurs.

Nous exigeons beaucoup d'eux, mais leur donnons-nous toujours les moyens de répondre à nos attentes?

Comme le dit le proverbe, «C'est en forgeant qu'on devient forgeron».

J'ai donc compris que nous n'avons pas le choix de mettre nos élèves en situation de choix, de prises de décision, en les impliquant dans la vie de la classe, en faisant d'eux des complices, en partant de leurs acquis et en leur proposant des activités signifiantes, tout en ne négligeant pas une certaine fermeté.

Heureux à l'école et conscients des apprentissages qu'ils y font, les élèves ont le goût d'y rester.

J'ai compris que sans eux, je ne pouvais rien.

Quand les enfants s'en mêlent est un guide qui permet de donner graduellement de la place aux enfants, de les rendre responsables et autonomes tout en fournissant un encadrement nécessaire.

Si, chacun à notre façon, dans notre petit coin de pays, nous faisons un peu plus pour développer l'autonomie et la responsabilité chez nos jeunes, nous les préparerons à un avenir meilleur et contribuerons à gérer les différences et à éviter le fameux décrochage scolaire.

Table des matières

Introduction

Ce document se veut un outil de travail complémentaire à tout matériel de base. Il s'adresse principalement à toutes les intervenantes du primaire, que ce soit dans les classes régulières, en orthopédagogie ou en adaptation scolaire. Cet ouvrage peut particulièrement aider les enseignantes des classes multiprogrammes. Les enseignantes en adaptation scolaire au secondaire peuvent aussi y puiser des idées pouvant motiver et faire évoluer leurs élèves. Pour ce qui est de l'enseignement au secondaire régulier, la première partie pourrait apporter des éléments de solution aux problèmes reliés, entre autres, à la motivation, aux ateliers, à la gestion disciplinaire et au travail d'équipe.

Enseignante en adaptation scolaire depuis plusieurs années auprès d'élèves du secondaire et du primaire, j'ai eu souvent à m'interroger sur mes interventions. Pour répondre aux besoins des élèves et les motiver, j'ai dû apporter des changements dans mes approches: partir de leurs intérêts, les faire participer à la gestion disciplinaire de la classe, utiliser le jeu comme moyen d'apprentissage, réaliser et vivre ensemble des projets signifiants (sorties dans le milieu, célébration des anniversaires, organisation de causeries avec des invités en classe, voyage annuel...), fonctionner par thème, faire objectiver les élèves sur leurs apprentissages et sur leur comportement, mettre en application la gestion mentale.

Pour moi, le meilleur moyen de répondre aux attentes de groupes très différents de par leur âge (de 6 à 15 ans), leur niveau d'apprentissage (du préscolaire à la 5e année) et leur problématique (audi-mutité, déficience légère et moyenne, troubles de comportement...) fut de mettre sur pied une classe-ateliers pour ces élèves en difficulté d'adaptation et d'apprentissage. Il y a huit ans que je mets en pratique ce mode de fonctionnement et j'en suis très heureuse, car mes élèves aiment, et je dirais même adorent l'école. Leurs apprentissages scolaires sont surprenants.

L'éducatrice en éducation spécialisée et moi-même avons tenté de faire de cette classe un milieu de vie intéressant, enrichissant autant pour les élèves que pour nous. C'est avec une très grande fierté que nous avons réussi, et ce grâce à notre complicité et à la vision commune que nous avions de l'enfant et de l'enseignement.

Nous constatons toujours une très grande motivation chez les élèves, même chez les élèves que nous recevons pour une cinquième année consécutive dans la même classe. Ces élèves ne s'absentent que pour des raisons majeures et laisseraient tomber bien des récréations, si nous le leur permettions. Lors d'une recherche de solutions pour augmenter le temps de lecture, un élève a déjà proposé de prolonger le temps de présence en classe. Des parents ont dit que leurs enfants partaient toujours de bon gré pour l'école le matin et qu'il était très difficile de les garder à la maison en cas de maladie.

Ces années nous ont procuré de très belles consolations et l'encouragement à continuer et à toujours se dépasser. Ce fut une belle aventure et une belle histoire d'amour.

La diversité du matériel, des tâches signifiantes, appropriées au niveau des élèves, l'utilisation du jeu et de l'ordinateur comme moyens d'apprentissage suscitent, bien sûr, la motivation. L'élément primordial de cet intérêt pour l'école et pour tout ce qui s'y vit, c'est la participation active à la vie de la classe. L'élève a le sentiment d'avoir un certain pouvoir sur son comportement et sur ses apprentissages, d'avoir de l'importance.

Les ateliers doivent rejoindre toutes les catégories d'élèves, et c'est là tout un défi qui, au fil des années, demeure toujours intéressant. Chaque année, il faut revenir sur les mêmes objectifs, mais par des moyens différents. C'est un défi que j'aime relever et, après huit années, les idées fusent de toutes parts, car j'ai toujours le goût d'échanger avec mes collègues, de me ressourcer dans des congrès pour y explorer toutes les nouveautés pédagogiques concernant autant les approches que les publications. Ces échanges sont des sources de perfectionnement inépuisables.

C'est ainsi que d'année en année, j'ai bâti divers scénarios d'apprentissage pour rejoindre plusieurs types de difficultés dans la même classe.

Comme j'intervenais en gestion de classe auprès d'enseignantes du primaire et du secondaire, j'ai eu le plaisir de partager avec des collègues cette philosophie et quelques scénarios. De fil en aiguille, je me suis rendu compte que cette façon d'enseigner pouvait s'adapter à toutes les catégories d'élèves de l'enseignement régulier, dans divers modes organisationnels, mais avec différents niveaux d'application.

Ces scénarios aidaient les enseignantes dans la mise sur pied de certains ateliers dans leur classe, enrichissaient et diversifiaient leur banque d'activités pour leurs élèves qui ont du talent et veulent aller plus loin.

Et voilà, c'est à la suite de plusieurs demandes d'enseignantes que j'ai décidé de partager avec vous cette expérience formidable en ce qui concerne autant la philosophie que le vécu et les outils utilisés.

En première partie de ce manuel, je vous présente ce mode organisationnel avec toutes ses facettes.

En seconde partie, je vous propose trentequatre scénarios d'apprentissage répondant à divers degrés de difficulté et rejoignant diverses matières, au programme du primaire surtout.

La philosophie véhiculée

La philosophie véhiculée dans ce fonctionnement par ateliers et qui se dégage tout au long de ce document est basée sur une gestion participative. Celle-ci amène l'élève à une grande participation à la vie de la classe et laisse à l'enseignante la place qui lui revient. L'élève prend part à la gestion disciplinaire de la classe et à la résolution des conflits, apporte des idées d'ateliers et fait des choix. Il lui est possible d'exprimer ses idées, mais dans un cadre très structuré. Plus on donne de l'ouverture en pédagogie, plus la structure doit être importante. Celle-ci permet à l'élève de toujours savoir ce qui l'attend, ce qu'il lui est possible de faire et ce qui lui est défendu. Ce cadre exige beaucoup de fermeté, de douceur et de confiance en l'élève.

Il faut donner à l'élève le droit à l'erreur, lui fournir tous les outils qui lui sont nécessaires pour avancer, le faire objectiver sur ses démarches, lui démontrer son importance, afin d'améliorer le plus possible son aptitude à gérer son comportement et ses apprentissages. Le fait de pouvoir faire des choix et de les assumer, dans un fonctionnement par ateliers ou dans tout autre mode de fonctionnement, responsabilise l'élève et lui donne plus d'autonomie.

Il est bon de donner de la place à l'élève, mais l'élève doit apprendre que les décisions ne lui reviennent pas toutes. Il en est ainsi dans la vie. Au départ, je clarifie avec l'élève sa part de pouvoir et les moments précis que je gère comme enseignante. Les activités vécues en grand groupe ou en sous-groupe font partie des moments que je gère moi-même. Comme l'élève connaît les points sur lesquels il lui est possible de négocier, et l'enseignante aussi, les conflits sont peu nombreux. La figure 1 illustre les différents modèles de gestion de classe et l'équilibre à atteindre.

Figure 1 Modèles de gestion de classe

Dans une classe, on retrouve la trilogie des trois E: Enfants (sujet)
                                                        Enseignante (agent)
                                                        Enseignement à partir des programmes (objet)

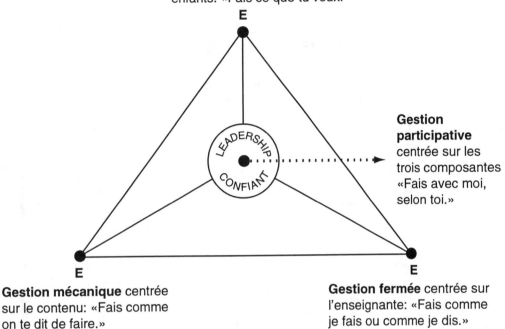

Gestion à tendance libre
centrée de façon exagérée sur les
enfants: «Fais ce que tu veux.»

Gestion participative
centrée sur les
trois composantes
«Fais avec moi,
selon toi.»

Gestion mécanique centrée
sur le contenu: «Fais comme
on te dit de faire.»

Gestion fermée centrée sur
l'enseignante: «Fais comme
je fais ou comme je dis.»

On peut donc retrouver des styles différents de gestion de classe selon l'importance accordée à l'enseignante, aux élèves ou aux programmes. Une gestion de classe équilibrée présuppose l'harmonisation de ces trois composantes, d'où la nécessité d'obtenir la participation de l'élève en classe dans plusieurs domaines et de s'assurer que la philosophie du programme est respectée.

Source: Jacqueline Caron

L'élève qui aime l'école et qui a de l'assurance manifeste beaucoup plus de motivation dans son travail. Dans mes classes, je laisse même mes élèves en difficulté d'apprentissage gérer leurs devoirs, et les tâches que les élèves se donnent à faire sont beaucoup plus importantes que ce que je leur imposerais moi-même. Le principal est d'améliorer chez l'élève la confiance en soi et le sentiment de sa valeur personnelle.

Dans une classe-ateliers, l'élève travaille en fonction de la tâche, et non en fonction de l'enseignante qui donne sa leçon en avant et l'informe à tout moment de ce qui doit être fait. Il y a des élèves qui supportent moins bien d'avoir à attendre (attendre pour se faire corriger, attendre que les autres élèves aient terminé, attendre des explications), comme c'est souvent le cas dans des classes ordinaires.

Il est difficile pour les élèves qui nous arrivent de classes ordinaires d'apprendre à travailler de la façon préconisée, après avoir travaillé cinq années en fonction de l'enseignante. Il y en a pour qui l'adaptation est parfois longue et pénible. Ces élèves ne savent que faire de cette liberté de choix qui leur est offerte. Des élèves veulent que l'enseignante fasse les choix à leur place, d'autres abusent de cette latitude et exigent un bon encadrement et beaucoup de fermeté. Plus l'élève avance en âge, plus l'adaptation est difficile. Mais avec le temps et une bonne enseignante pour les guider, les élèves deviennent de plus en plus autonomes et responsables.

En parcourant ce document, vous constaterez que, dans ce mode organisationnel, les interventions se font sur les plans du climat organisationnel, du contenu organisationnel, de la gestion des apprentissages et de l'organisation de la classe.

La figure 2 porte sur la gestion participative. Elle a été élaborée par Jacqueline Caron et vient préciser les éléments contenus dans chacune de ces catégories.

Chacune de ces composantes est capitale si nous visons pour l'élève une formation fondamentale. Ne perdons pas de vue que le but premier de l'école est de préparer l'élève à la vie.

Figure 2 Représentation visuelle du concept «gestion de classe».

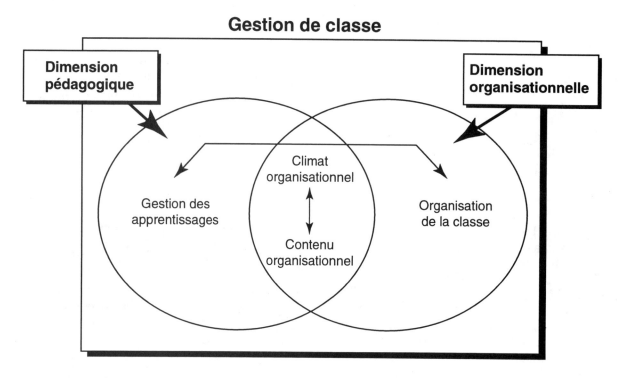

Dans une classe, il faut intervenir sur:

1. Le climat organisationnel:
   - attitudes
   - relations
   - motivation
   - discipline
   - résolution de conflits
2. Le contenu organisationnel:
   - philosophie, orientations
   - conception de l'apprentissage
   - liste des objectifs du ou des programmes
   - démarches, procédures, stratégies d'enseignement
   - méthodologie du travail intellectuel

3. La gestion des apprentissages:
   - planification
   - animation et médiation
   - objectivation
   - démarches, procédures, stratégies d'apprentissage
   - évaluation
   - réinvestissement et transfert
4. L'organisation de la classe:
   - gestion du temps
   - aménagement de l'espace
   - gestion des groupes de travail
   - utilisation des moyens d'enseignement
   - utilisation du matériel didactique et du matériel pédagogique

Source: Jacqueline Caron

Le cerveau humain

Après les explications données par M. Gilles Noiseux sur les recherches récentes concernant le fonctionnement des trois parties du cerveau humain (figure 3), j'ai compris pourquoi le mode de fonctionnement par ateliers que je privilégiais, et toute la philosophie qui englobait ce modèle organisationnel répondaient si bien aux besoins de mes élèves en difficulté d'apprentissage et pourraient par conséquent être appliqués à toutes les autres catégories d'élèves.

Pour qu'il y ait apprentissage, les trois parties du cerveau doivent être respectées. Ainsi, si les stades 1 (reptilien) et 2 (limbique) ne sont pas respectés, il est alors impossible que les apprentissages se fassent. Il faut donc que l'élève apprenne à faire abstraction de ses problèmes physiques et affectifs pour s'ouvrir aux informations données et les mettre en mémoire.

Dans le mode de fonctionnement proposé ou dans tout autre mode ayant une gestion participative, nous travaillons énormément au stade 2 du cerveau, qui est le centre de l'affectif, des humeurs et de l'estime de soi. L'élève a donc plus de facilité à faire jouer par son cerveau son rôle de chef de gare, c'est-à-dire à diriger et à mettre en mémoire ses informations. Il en résulte que l'élève aime son travail, ce qui lui donne la volonté de le faire.

Cette approche lui offre la sécurité affective qui lui est nécessaire pour s'engager dans la modification de son comportement et dans ses apprentissages.

Figure 3 L'organisation hiérarchique des trois parties du cerveau humain

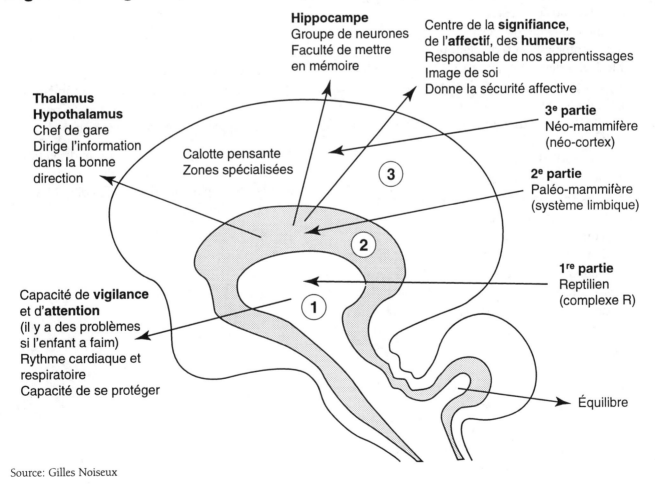

Source: Gilles Noiseux

Notre pouvoir sur ce qui se passe dans la tête de l'élève est donc très limité. L'élève est la seule personne pouvant agir sur son vouloir. Notre rôle en tant qu'enseignantes se situe donc dans nos approches et nos interventions pour favoriser la motivation. Il suffit de présenter à l'élève des situations qui lui sont signifiantes et qui partent, dans la mesure du possible, de son vécu. Pour mieux situer l'élève et augmenter sa motivation, il est bon, et même nécessaire, de lui préciser les objectifs visés par l'activité présentée.

Ces découvertes récentes sur le cerveau confirment le dicton de Célestin Freinet: «On peut conduire un âne à la fontaine, mais on ne peut le forcer à boire.»

Les objectifs des ateliers

Voici les objectifs visés dans le mode de fonctionnement «classe-ateliers».

Pour ce qui est du domaine scolaire, les objectifs prescrits par le ministère de l'Éducation du Québec prévalent, autant pour les classes régulières que pour celles du secteur d'adaptation scolaire. La classe-ateliers poursuit également plusieurs autres objectifs:

1. Permettre à chaque élève de fonctionner selon son rythme et son style d'apprentissage.
2. Motiver l'élève par rapport à l'école, faire tout en son pouvoir pour que l'élève se «réconcilie» avec l'école.
3. Rendre l'élève plus autonome, plus responsable dans plusieurs domaines:
   • dans ses comportements;
   • dans ses apprentissages;
   • dans l'évaluation de ses apprentissages;
   • dans la gestion de son temps;
   • dans la gestion de son travail;
   • dans la prise de décision, la prévision et la planification entourant les choix à faire et à assumer;
   • dans les exigences, les défis rencontrés dans son cheminement.

4. Amener l'élève à respecter:
   • les autres élèves;
   • son environnement;
   • le matériel utilisé;
   • les différences individuelles;
   • ses performances et celles des autres.
5. Apprendre à l'élève:
   • à travailler en équipe;
   • à exprimer ses goûts, ses besoins, ses réussites, ses échecs;
   • à développer sa créativité;
   • à trouver des solutions à ses problèmes à partir de cadres de références et de banques de stratégies suggérés par l'enseignante.

En résumé, la classe-ateliers vise le développement intégral de la personnalité de l'élève en vue de bien l'outiller pour lui donner l'habileté à vivre de façon plus autonome en société.

La gestion des différences par les ateliers

Pourquoi?

1. À cause des rythmes d'apprentissage. La formule de la classe-ateliers respecte le rythme d'apprentissage de chaque élève, qu'il soit rapide, moyen ou lent. L'élève prend le temps nécessaire à la réalisation de son activité.

2. À cause des niveaux d'apprentissage. Des activités graduées et variées peuvent se tenir à l'intérieur d'un même local comprenant différents niveaux: 1re, 2e et 3e année, par exemple.

3. À cause de la diversité des élèves:
   - élèves venant d'une classe régulière;
   - élèves ayant une déficience moyenne;
   - élèves ayant une déficience légère;
   - élèves ayant des troubles de conduite et de comportement (t.c.c.);
   - élèves ayant des troubles graves d'apprentissage;
   - élèves souffrant d'audi-mutité;
   - élèves autistiques;
   - élèves nécessitant des interventions ponctuelles en orthopédagogie.

Jérémie, 7 ans, apprend par l'atelier Jeux électroniques.

Cynthia, 12 ans, réalise une activité d'écoute.

La classe-ateliers peut répondre en même temps à toute cette clientèle très diversifiée à cause de son ouverture tant pour ce qui est du quoi faire qu'en ce qui a trait au comment faire.

4. À cause des styles d'apprentissage. La classe-ateliers rejoint à la fois les élèves de profil visuel, les élèves de profil auditif et les élèves kinesthésiques, à cause:
   - des outils utilisés:
     - ordinateur,
     - jeux électroniques,
     - magnétophone,

Claude, 14 ans, réalise une tâche de lecture sur les oiseaux à l'atelier Sciences de la nature.

      – diapositives,
      – matériel de manipulation diversifié,
      – jeux;
- des moyens que les élèves peuvent se donner mentalement (gestion mentale) et aller chercher partout dans la classe;
- des différentes sortes d'activités faisant appel à l'un ou à l'autre des styles d'apprentissage.

5. À cause des degrés de motivation. Les ateliers rejoignent et les élèves qui ont de la motivation et qui sont capables d'apprendre, et les élèves qui ont plus ou moins de motivation et qui ont une capacité d'apprendre variable.

Motivation = être capable $\times$ ça peut rapporter

La classe-ateliers permet aux élèves d'avoir du pouvoir sur la tâche à accomplir:
- les activités correspondent à la capacité des élèves;
- les élèves peuvent les réaliser à leur rythme;
- les activités sont signifiantes et diversifées:
      – expériences concrètes,
      – réalisations concrètes,
      – beaucoup de manipulation,
      – matériel diversifié;
- les élèves ont conscience des progrès réalisés;
- les élèves ont la possibilité de partager leurs réussites avec leurs camarades et leurs parents;
- les élèves ont le sentiment d'avoir du pouvoir sur leurs apprentissages (gestion mentale);
- les élèves peuvent faire des choix.

Marco, 10 ans, réalise une carte à l'atelier Bricolage.

6. À cause des âges différents. Des élèves entre 6 et 15 ans peuvent se côtoyer facilement dans un même local et s'y sentir bien tout en faisant des apprentissages à leur niveau.

La motivation

Après mûres réflexions sur la motivation suscitées par mes expériences dans l'enseignement au secondaire et au primaire, dans des classes régulières comme en adaptation scolaire, j'ai trouvé une série de moyens pouvant favoriser la motivation, quel que soit le mode organisationnel privilégié. Je les ai réunis dans le tableau 1 que vous pourrez consulter lorsque vous serez en quête de ressources pour motiver un ou une élève ou l'ensemble de votre groupe d'élèves.

Tableau 1 Comment favoriser la motivation

Chercher la cause de la démotivation.
- Grille de Hersey
- Fonctionnement du cerveau

Tenir compte de l'affectif.
- Accorder un moment pour échanger au début d'un cours ou d'une journée.
- Être à l'écoute des difficultés des élèves.
- Aller chercher les goûts, les intérêts des élèves.

Engager les élèves dans la modification de leurs comportements.
- Utiliser une approche de résolutions de conflits.
- Faire participer les élèves à la gestion de la classe (règles de vie).
- Faire objectiver les élèves sur leurs comportements positifs et négatifs.
- Proposer des moyens de motivation, des privilèges.

Respecter les rythmes d'apprentissage.
- Accepter que les élèves de la classe ne fassent pas nécessairement tous et toutes les mêmes choses en même temps.
- Avoir un tableau d'enrichissement pour les élèves plus rapides.
- Donner la possibilité aux élèves ayant plus de difficulté de s'approprier les concepts nouveaux.

Respecter les styles d'apprentissage.
- Enseigner par information, par démonstration, par expérience.
- Faire vivre des situations d'apprentissage en équipe.
- Permettre aux élèves de manipuler, si cela est nécessaire.
- Permettre aux élèves d'apprendre par leurs erreurs.
- Utiliser des moyens audiovisuels.
- Donner des démarches écrites comme apport visuel.

Susciter l'intérêt.
- Aller chercher les goûts, les préoccupations, les intérêts des élèves.
- Utiliser le jeu comme moyen d'apprentissage.
- Proposer des situations partant du vécu des élèves.
- Varier le matériel pédagogique.
- Varier les approches pédagogiques.

Placer les situations d'apprentissage à l'intérieur d'un scénario d'apprentissage.
1. Situation de départ
2. Situations d'approfondissement
3. Situations d'évaluation
4. Situations de consolidation
5. Situations de réinvestissement

Permettre à l'élève de partager ses expériences, d'échanger sur ses apprentissages.
- Partir de l'acquis de l'élève
- Mise en situation
- Objectivation
- Tutorat
- Rapport de travaux

Engager les élèves dans leur démarche d'apprentissage.
- Faire de la gestion mentale.
- Présenter des activités ouvertes.
- Permettre à l'élève de faire des choix d'activités:
  • menu de journée
  • plan de travail
  • tableau de programmation
  • ateliers
  • tableau d'enrichissement
  • coin des découvertes
- Faire participer l'élève à la correction de ses travaux.
- Informer l'élève des objectifs visés par la situation d'apprentissage vécue.
- Montrer à l'élève à utiliser les stratégies appropriées
- Fournir des grilles d'évaluation.

Respecter les étapes de formation de concepts.
- Apports sensoriels ou d'expérience
- Perceptions sensorielles ou rappel d'expériences
- Images ou représentations mentales
- Concepts intuitifs ou début d'abstraction
- Concepts verbalisés ou abstraction
- Concepts généralisés ou généralisation

Axer l'enseignement sur le développement d'habiletés.
- Savoir (apprentissage)
- Savoir-faire (développement)
- Savoir-être (croissance)
- Habiletés intellectuelles
- Habiletés techniques

Donner une grande place à l'objectivation.
– Faire objectiver l'élève sur:
    • son comportement
    • ses attitudes
    • ses apprentissages
    • sa démarche
    • les habiletés développées.
	Avoir un aménagement souple, invitant, favorisant le travail.
	– Faire décorer le local par les élèves.
	– Préparer un aménagement favorisant autant le travail d'équipe que le travail individuel.
	– Offrir des appuis visuels pour guider les élèves dans leurs travaux (affiches).

La gestion mentale et les ateliers

La gestion mentale (théorie d'Antoine de la Garanderie) est un atout très important dans le mode de fonctionnement par ateliers. C'est une approche qui complète la philosophie que je véhicule et qui donne à l'élève encore plus de pouvoir sur ses apprentissages.

Tableau 2   Moyens pour aider l'élève à se faire des représentations mentales

Pour donner la matière	Ce que l'élève peut faire ou réaliser
Cartes Photos Illustrations Jeux Expériences Diapositives Acétates Films ou vidéocassettes Mots croisés Ordinateur Travaux de recherche (bibliothèque) Lignes du temps Sorties Histogrammes Journaux Graphiques Tableaux Chansons Enregistrement sur cassettes Correspondance Verbalisation Magazines Matériel concret Projet	Tableaux comparatifs avec ou sans illustrations Graphiques Manipulation de matériel concret Petit journal Dessins Affiches Dépliants Verbalisation Recherches Mime Composition et jeux de mots croisés Jeux de rôles Expériences Présentation orale Montage avec acétates Jeux Personnes invitées Ordinateur Écrits (poème, chanson…) Bricolage Lettres Illustration Sketch Vidéocassette Compte rendu

«Ce qui compte pour un élève, ce n'est pas tout ce que l'adulte fait pour lui à sa place, mais plutôt ce qu'il fait de lui-même. Il est le véritable responsable de ses apprentissages. L'élève doit faire son bout de chemin.»

La **gestion mentale** se différencie des **stratégies** en ce qu'elle amène l'élève à travailler au niveau des évocations, des images mentales visuelles ou auditives qui se passent dans sa tête. Les stratégies, quant à elles, sont des moyens extérieurs donnés à l'élève pour faciliter ses apprentissages. L'élève a besoin des deux pour mieux intégrer ses connaissances.

Dans les activités en grand groupe, les élèves font des exercices relatifs aux projets d'attention, de mémoire, de compréhension, de réflexion et de créativité. Ces exercices amènent l'élève à prendre conscience de ce qui se passe dans sa tête quand il ou elle apprend à découvrir si ses images mentales sont auditives ou visuelles, ou parfois les deux à la fois. Cela l'aide grandement dans ses apprentissages et fait régner dans la classe un climat de calme et de réflexion. Les élèves se prêtent volontiers à ce genre d'exercices et découvrent très facilement tout ce qui se passe dans leur tête pendant leur processus d'apprentissage.

Il faut cependant accorder à l'élève le temps d'intégrer les notions nouvelles (temps d'évocation) et aussi de retrouver dans sa mémoire ce qui est déjà intégré. Comme le travail en ateliers respecte les rythmes individuels, l'élève peut donc prendre le temps nécessaire pour faire ce retour intérieur. De plus, de par la diversité des tâches, du matériel et des moyens de référence, l'élève, qu'il soit de la famille auditive ou visuelle, peut se servir des outils de son choix et agir à sa façon.

Dans ce cadre, l'enseignante doit s'obliger à présenter globalement chacun des ateliers (la tâche, les objectifs et le contenu) à toute la classe avant de commencer une nouvelle série d'ateliers.

La gestion mentale amène l'enseignante à tenir compte de la double présentation (visuelle et auditive) lors de ses cours pour rejoindre les deux catégories d'élèves.

Les visualisations, avant une situation d'écriture ou dans toute autre situation, aident grandement les élèves à se centrer sur leur intérieur. Ces visualisations doivent cependant orienter les élèves vers des images mentales autant auditives que visuelles, et cela est possible, même si cette technique se nomme visualisation.

Avant même de faire l'expérience de la gestion mentale dans ma classe, je me rendais compte que le mode de fonctionnement par ateliers motivait beaucoup les élèves, les faisait travailler plus et leur faisait faire aussi des progrès. L'avènement de cette approche est venue donner beaucoup plus de pouvoir aux élèves sur leurs apprentissages et ainsi augmenter de beaucoup la réussite scolaire. En plus d'aimer l'école, les élèves font de gros progrès: un élève en difficulté d'apprentissage a déjà réussi à faire le programme de deux années en français dans la même année scolaire. Bravo à cet élève, car il y a mis beaucoup de cœur et de volonté, deux facteurs importants de succès. Ce moyen a montré à l'élève comment mémoriser, comment lire et comprendre un texte en se faisant des images dans sa tête. L'élève a retrouvé confiance en lui et a fait des progrès énormes.

Le tableau 2 propose différents moyens pour atteindre et vos élèves de la famille auditive et vos élèves de la famille visuelle. Ces moyens pourront vous servir à varier votre enseignement et à motiver vos élèves.

La partie de gauche du tableau offre différents moyens pour donner votre matière, pour enseigner des notions nouvelles. La partie de droite comprend diverses tâches que vous pouvez demander à vos élèves. Il y a des moyens, cependant, qui conviennent mieux à certaines matières qu'à d'autres. À vous de choisir ceux qui vous conviennent. Vous pouvez également puiser dans cette liste d'autres idées d'ateliers.

Mais d'abord, la figure 4 montre un modèle de démarche que l'élève peut faire en gestion mentale pour mémoriser une nouvelle notion.

Figure 4 Fiche de sensibilisation au processus de mémorisation

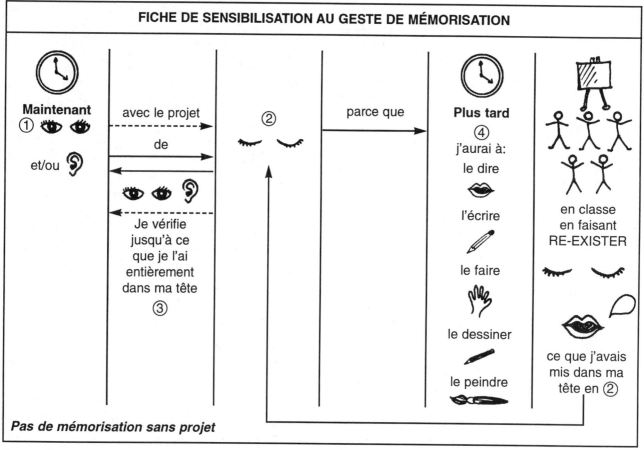

Source: Christiane Pébrel, *La Gestion mentale à l'école*, Paris, Retz, 1993, p. 95.

Le jeu et les ateliers

Comme vous le savez sans aucun doute, le jeu a une grande valeur éducative. Depuis sa naissance, l'enfant a appris énormément en jouant. Le jeu lui a permis d'explorer, de se faire des camarades, d'acquérir des connaissances, etc.

Comme le disait Francine Benoît dans une revue pédagogique: «Le jeu a plusieurs fonctions potentielles en pédagogie, il peut être utilisé comme déclencheur, comme moyen d'exercices, comme activité d'intégration, comme activité d'évaluation*.»

Le jeu peut et doit faire partie de certains ateliers et les élèves peuvent aussi en préparer. Il est cependant important que l'élève n'associe pas nécessairement les ateliers aux jeux, car la tâche et le contenu pourraient lui sembler moins sérieux.

L'élève doit prendre conscience de l'utilité du jeu et des apprentissages que celui-ci peut entraîner. L'objectivation est donc très importante pour permettre cette prise de conscience.

Le jeu contribue à améliorer le climat de la classe et permet à l'élève d'apprendre de façon plaisante.

Nous pouvons utiliser une certaine quantité de jeux éducatifs vendus sur le marché. Beaucoup d'entre eux visent des objectifs des programmes du Ministère. Il faut cependant savoir les choisir. Parmi les bons jeux, nous retrouvons des jeux électroniques de français et de mathématique et des jeux basés sur les connaissances générales. Il est aussi important de vérifier si le jeu peut être exploité autrement.

* Francine Benoît, «Le jeu vu comme outil», *Vie pédagogique*, n° 56, oct. 1988, p. 4.

Il est possible également de fabriquer des jeux maison. Différents modèles offerts dans le présent ouvrage peuvent vous donner des idées pour en bâtir ou en faire préparer par les élèves. Des jeux de tic-tac-to, de dominos, de bingo, de pistes de course, de rallye automobile, d'association, de serpents et d'échelles, de sacs de sable, peuvent être créés et donnés aux élèves à la place des exercices sur des feuilles. Il suffit de laisser aller son imagination. De plus, ces jeux peuvent facilement être faits en fonction des objectifs des programmes et répondre à des besoins précis. Nous pouvons solliciter l'aide de parents ou de personnes âgées pour nous assister dans la fabrication de ce matériel. La conception nous revient cependant de droit. D'après mon expérience, ces jeux rendent beaucoup plus service que les jeux conçus par d'autres ou vendus sur le marché.

LES ÉLÈVES FABRIQUENT DES JEUX

Les élèves peuvent aussi fabriquer leurs propres jeux et en préparer pour les classes inférieures. En tant qu'orthopédagogue, j'ai déjà eu à intervenir avec un enseignant dans une classe de 5e année. Une quinzaine de jeux avaient alors été inventés sur les règles de grammaire au programme. L'expérience s'est avérée très enrichissante. Nous avons constaté que les élèves en avaient retiré beaucoup. Pour inventer ces jeux, les élèves ont dû faire des lectures et rédiger. Une fois terminé leur jeu sur une règle de grammaire, les élèves avaient

bien assimilé la notion grammaticale et développé par la même occasion leur créativité. Mesurer les cartons de jeux leur avait permis d'apprendre à mesurer. Établir les règles du jeu leur avait donné l'occasion de rédiger un texte à caractère incitatif. Naturellement, comme le jeu devait avoir une présentation propre et soignée, les élèves ont dû bien calligraphier et illustrer le jeu de la façon la plus attrayante possible. Des objectifs en arts plastiques ont ainsi été atteints. À la fin de toute cette démarche, les élèves connaissaient très bien les notions sur lesquelles reposaient les jeux.

Quelle satisfaction lorsque les élèves ont présenté leurs jeux à leurs camarades! Je vous assure qu'ils étaient de qualité. Les élèves avaient vraiment fait preuve d'originalité tout en s'inspirant des principes des jeux sur le marché. Tous les jeux qui avaient une présentation agréable et qui ne contenaient pas d'erreurs orthographiques ni d'erreurs grammaticales ont été plastifiés. Combien de fois certaines équipes ont dû reprendre leur travail avant d'être complètement satisfaites! Des groupes s'étaient même réunis les soirs et les fins de semaine pour arriver à un résultat satisfaisant. Ces jeux ont été laissés dans la classe à l'intention des élèves des années suivantes.

Les jeux peuvent se fabriquer en équipe et, par la suite, être échangés entre les équipes. L'exploitation de ce matériel est sans limites.

De plus, les élèves doivent objectiver sur l'activité. Cette démarche leur fait prendre conscience des habiletés développées et des connaissances acquises.

Nous avons objectivé avec les élèves après la réalisation de l'activité décrite et leur avons demandé d'énumérer tous les objectifs atteints lors de cet exercice.

Voici les résultats de l'objectivation relativement à la fabrication de leur jeu et à l'exploitation des jeux des autres élèves de la classe.

FABRICATION DU JEU

En plus d'acquérir des connaissances d'ordre scolaire, telles que des notions de grammaire, de lecture, de rédaction, de mesures en mathématique,

les élèves ont développé d'autres habiletés, dont le travail en équipe, la méthode de travail, le partage de l'idée de l'autre, le goût du beau et du bien fait, la créativité, l'autonomie et le respect des étapes d'une recherche. De plus, les élèves ont dû faire preuve de patience.

EXPLOITATION DES JEUX DES AUTRES

En jouant aux jeux réalisés par les autres équipes, les élèves ont exercé leur esprit critique tout en respectant le travail de leurs camarades. Les élèves ont pu approfondir les notions grammaticales au programme, comme reconnaître le temps des verbes, employer la bonne ponctuation et apprendre de nouveaux mots de vocabulaire. Apprendre à perdre a également fait partie de leur apprentissage.

Même si en cours de route nous trouvions que l'activité demandait beaucoup de temps, nous en sommes venus, à la suite de l'évaluation faite avec les élèves, à juger que l'expérience s'était avérée très valable et que le temps investi en valait la peine. En réalité, ce fut une longue résolution de problèmes.

Le rôle de l'enseignante

Une variété de démarches et de moyens peuvent amener les élèves à vivre à l'école des expériences intéressantes et enrichissantes et à faire de l'école un milieu de vie valorisant et plein de défis.

De plus, ces moyens nous permettent de rejoindre toute la diversité de notre clientèle, dont les élèves qui ont un comportement hyper-expressif.

> L'enfant teflon qui est hyperexpressif ne doit pas être guéri, ni traité. Nous devons, si nous parlons toujours pédagogie, adapter le milieu à lui, autant que faire se peut, afin que son hyperexpressivité disparaisse*.

Pour répondre à ces différences dans un fonctionnement par ateliers, j'ai dû modifier mon rôle comme enseignante auprès de mes élèves.

Car ce n'est pas tout de présenter aux élèves des activités signifiantes et de leur faire vivre des ateliers. Notre attitude comme enseignantes a une grande influence sur la réussite de ce mode de fonctionnement. Notre rôle prend un tout autre sens. Nous devons descendre un peu de notre piédestal et ne plus nous considérer comme les seules détentrices du savoir. Nous avons maintenant à guider, à animer, à consolider, à motiver et parfois à provoquer. Un autre domaine important qui nous revient est celui de l'objectivation, qui est une évaluation du processus d'apprentissage. D'après Conrad Huard, l'objectivation est le cœur de l'apprentissage.

Comme, en moyenne, nous retenons:
10 % de ce que nous lisons,
20 % de ce que nous entendons,
30 % de ce que nous voyons,
50 % de ce que nous voyons et entendons,
70 % de ce que nous disons,
90 % de ce que nous disons en même temps que nous le faisons, il est par conséquent très important de donner le loisir à l'élève de s'exprimer sur les connaissances apprises et sur la façon dont s'est fait cet apprentissage. Il faut l'aider à décoder les habiletés mentales utilisées, les difficultés rencontrées en réalisant cette activité, les critères d'évaluation du travail et l'amener à trouver des pistes d'amélioration.

Cette prise de conscience peut se faire individuellement, en sous-groupe ou en groupe pour permettre ainsi à tous les pairs de pouvoir en bénéficier.

---

* Daniel Kemp, *Devenir complice de l'enfant teflon*, Montréal, Éd. E = mc², 1989, p. 202.

La période d'objectivation n'est donc pas du temps perdu; elle permet à l'élève d'évoluer à partir de ses erreurs et de réinvestir ses acquis lors de la réalisation d'activités ultérieures.

Si nous nous engageons dans des démarches de ce genre sans faire confiance aux élèves et en gardant le pouvoir sur tout, les résultats ne seront sûrement pas les mêmes et, comme enseignantes, nous serons donc insatisfaites. Cela ne signifie pas qu'il faille diminuer nos exigences vis-à-vis des élèves, loin de là. Nos exigences doivent se situer ailleurs: sur la qualité des travaux à présenter et sur le respect des décisions personnelles de chaque élève.

C'est pour cela qu'il est important de bien connaître son style comme enseignante avant de s'engager dans toute démarche innovatrice. L'important, pour l'enseignante, c'est d'être bien et heureuse dans son travail, satisfaite des résultats obtenus tout en sentant que ses élèves s'épanouissent dans sa classe.

Pour aller hors des sentiers battus, il faut garder un esprit ouvert et avoir le goût du risque. La volonté d'aller jusqu'au bout d'une expérience, si minime soit-elle, doit faire partie du défi. Vous devez prendre le temps d'évaluer la nouvelle expérience avec les élèves et d'en faire une analyse personnelle avant d'y apporter une conclusion. Il n'y a personne de mieux placé que vos élèves pour vous dire ce qui a été retenu de ces expériences. De là l'importance de ne pas tout changer en même temps, mais d'avancer à son rythme et selon ses capacités. Il est bien de respecter les enfants, mais il faut avant tout savoir se respecter soi-même.

Trois mots peuvent très bien résumer notre rôle d'enseignante: FORMER, ÉVALUER, ENRICHIR.

La motivation de l'élève vient de ce que nous lui laissons une certaine place dans l'aménagement de son milieu de vie, dans la répartition de son temps, ainsi que dans le choix de ses activités d'apprentissage. Nous lui permettons ainsi d'évoluer à son rythme et selon son style. Ses choix doivent cependant être guidés par l'enseignante. Celle-ci a donc comme tâches de présenter un mode organisationnel qui respecte les choix des élèves et de diversifier ses approches tout en proposant aux élèves des activités intéressantes qui les incitent à aller toujours plus loin dans leur démarche d'apprentissage tout en atteignant les objectifs des programmes du Ministère.

Il faut toutefois reconnaître que les facteurs qui exercent une influence sur la volonté d'apprendre et de participer à la vie de la classe sont des aspects au sujet desquels l'enseignant doit intervenir directement et explicitement. L'enseignant a même des responsabilités déontologiques à l'égard de la motivation scolaire de l'élève. Il est inutile et même nuisible à l'évolution psychologique de ce dernier de tenir un discours sur la nécessité de s'engager, de participer et de persévérer pour réussir sans lui signaler clairement les stratégies et les moyens d'acquisition pour y arriver*.

Les modes organisationnels

Voici quelques précisions sur différents modes organisationnels existants. Ces explications sur chacun d'eux vous permettront d'y voir plus clair et vous aideront à décider dans quel mode organisationnel vous désirez intégrer vos ateliers. Vous pouvez commencer par une façon de faire et y aller progressivement.

Enseignement ordinaire

L'enseignante enseigne à l'ensemble de son groupe en alternant entre la présentation des informations en grand groupe, le travail d'équipe et le travail individuel. Elle fournit à l'occasion du travail supplémentaire aux élèves qui avancent plus rapidement.

Menu de journée

L'enseignante fournit à l'élève le travail individuel prévu pour la journée. L'élève fait les activités successivement pendant les périodes accordées par l'enseignante. Les ateliers peuvent s'intégrer à ce menu ou les élèves peuvent y travailler lorsque les activités prévues pour la journée sont terminées. Le reste du temps est consacré à du travail en grand groupe.

Ces activités peuvent être inscrites au tableau chaque matin.

Ateliers d'enrichissement

L'enseignante continue à enseigner à sa façon habituelle, mais prépare un tableau ou un coin d'activités d'enrichissement. Les élèves travaillent à ces ateliers lorsque les activités exigées par l'enseignante sont terminées.

Horaire des ateliers occasionnels

L'enseignante bâtit une série d'ateliers. Elle peut en préparer une série pour l'ensemble de ses élèves et réserver quelques ateliers comme enrichissement.

L'enseignante continue donc d'enseigner à sa façon habituelle en grand groupe et détermine une ou certaines périodes par semaine pour le travail en ateliers. Si cet horaire comprend des ateliers en enrichissement, les élèves peuvent réaliser ce travail en attendant que la totalité des élèves aient terminé les activités à faire. Pour plus de détails, référez-vous à la figure 7 dans la section «Les choix d'ateliers et les feuilles de route».

En orthopédagogie, l'enseignante peut aussi avoir un horaire des ateliers et se réserver des périodes de travail en sous-groupe. Pour plus de détails, référez-vous à la figure 8 dans la section «Les choix d'ateliers et les feuilles de route».

Plan de travail

Dans un plan de travail, l'élève peut voir d'un coup d'œil le travail à faire dans un laps de temps donné. L'enseignante fournit à l'élève tout le travail individuel et d'équipe à faire pendant une semaine, selon son niveau. Elle définit des périodes en grand groupe et en fait part à l'élève au début de la journée. Elle peut intégrer certains ateliers à ce

---

* Jacques Tardif, *Pour un enseignement stratégique*, Montréal, Logiques Écoles, 1992, p. 92.

plan. L'élève gère alors son travail à sa façon. Il lui est possible d'aller à son rythme, mais en respectant les exigences établies. L'élève peut aussi avoir droit aux ateliers si son plan de travail de la semaine est terminé. Pour plus de détails, référez-vous à la figure 6.

Plan de travail et horaire des ateliers

L'élève a une feuille de route sur laquelle se retrouve le travail prévu pour deux ou trois semaines. Comme la feuille de route donne à l'élève une vue globale de son travail individuel et en équipe, on peut la considérer comme un plan de travail.

Tout le travail de l'élève, comme les tâches à faire dans le livre de français, le livre de mathématique ou tout autre exercice, est intégré dans un horaire des ateliers. Pour plus de détails, référez-vous aux figures 9, 10 et 11 dans la section «Les choix d'ateliers et les feuilles de route».

Tableau de programmation

Dans un tableau de programmation, l'élève peut prendre connaissance de toutes les activités de la semaine: celles que l'enseignante fera avec les élèves en grand groupe, celles que les élèves auront à réaliser en équipe et celles qui devront être faites individuellement. Les situations peuvent porter sur un même thème ou faire partie d'un projet interdisciplinaire (figure 15).

La place des ateliers dans votre enseignement

Souvent le mot «atelier» fait peur, car il laisse entendre, pour plusieurs, l'obligation de fournir un travail énorme pour le préparer. Des ateliers très simples intéressent autant les élèves que ceux qui nécessitent un équipement complexe. De plus, les élèves adorent travailler en ateliers. Dès la première journée de classe, mes élèves veulent travailler tout de suite en ateliers. Toute la partie accueil et fête qui caractérise la première journée de classe devient secondaire et les élèves lui préfèrent de beaucoup leurs ateliers. Il faut cependant dire que la plupart des élèves connaissent le système pour l'avoir vécu l'année précédente. Les élèves qui doivent le vivre pour la première fois s'y intègrent très facilement.

Dans les autres classes où les enseignantes font des sessions d'ateliers régulièrement mais pas tous les jours, les élèves ont toujours hâte à la journée prévue à cette fin. C'est une source de très grande motivation.

Il est certain que les élèves aiment vivre des ateliers, mais pédagogiquement il faut y voir une certaine efficacité. Il est donc important que les ateliers fassent partie intégrante de votre planification. Tant et aussi longtemps que vous ferez des ateliers en parallèle, comme s'ils étaient des privilèges accordés à l'élève, sans liens directs avec vos objectifs, vous vous sentirez coupables et considérerez vos ateliers comme une perte de temps.

Lorsque vous décidez de faire des ateliers dans votre classe, vous devez continuer de réaliser des activités en grand groupe ou en sous-groupes. Celles-ci vous permettent d'aller chercher le vécu et les acquis de vos élèves, de bâtir ensemble des cartes d'exploration pour un projet, d'enseigner une notion nouvelle, de faire des mises en situation dans certaines matières, de favoriser les échanges entre les élèves. Ce sont des moments privilégiés pour initier les élèves à certaines démarches, stratégies, habiletés ainsi qu'à la gestion mentale.

Ces périodes en commun sont précieuses et absolument nécessaires à l'objectivation des apprentissages et du comportement. La prise de conscience que l'élève fait de ses apprentissages lui permet de les fixer et de les garder en mémoire. Il faut cependant lui donner le temps qu'en gestion mentale nous appelons «temps d'évocation». Ce sont ces instants qui vous éviteront de voir et de revoir souvent les mêmes notions.

L'enseignante peut profiter aussi de ces occasions pour faire ses évaluations, même si elle peut saisir beaucoup d'autres moments dans la journée pour les faire. Un atelier peut même servir de méthode d'évaluation pour une notion donnée.

C'est à vous, enseignantes, de décider de la place à donner aux ateliers dans votre classe.

Vous pouvez choisir de vivre avec vos élèves des ateliers d'une heure par semaine, de deux heures par semaine, d'une heure par jour ou plus. Il y a aussi la possibilité de réserver vos ateliers aux élèves qui ont de la facilité à apprendre et qui ont toujours terminé leur travail avant les autres. Des détails à ce sujet vous sont donnés dans les figures 5 et 6 et la partie réservée à l'enrichissement.

L'important est de respecter votre rythme, d'y aller graduellement et de vous sentir à l'aise dans les expériences que vous choisissez de vivre.

Vous aurez à organiser vos ateliers et votre enseignement selon vos choix. Vous pourrez alors placer certains ateliers dans un menu de journée, dans un plan de travail d'une semaine que vos élèves auront à gérer en partie, dans un horaire des ateliers ou à l'intérieur d'un tableau de programmation. Il est important que vos ateliers soient en lien direct avec votre enseignement. Réservez-vous des périodes pour le travail en grand groupe et précisez aux élèves les périodes dont la gestion leur revient.

Au fil des années et de mes expériences, je me suis rendu compte que l'élève développe de l'autonomie dans une structure préétablie qui demeure sensiblement la même chaque jour. Comme le déroulement est toujours le même, l'élève s'habitue très rapidement à la marche à suivre et le besoin d'intervenir diminue en conséquence. Son autonomie et sa prise en main augmentent graduellement. Sachant quoi faire, il lui est possible de prévoir les moyens pour le faire. L'élève acquiert ainsi de plus en plus d'assurance et se sent de plus en plus à l'aise à l'école, ce qui entraîne des effets très positifs sur ses résultats scolaires.

Les ateliers peuvent aussi facilement faire partie d'un projet que vous réalisez avec vos élèves dans la classe. Vous trouverez plus d'informations sur ce sujet dans la section «Les ateliers dans une approche thématique ou un projet interdisciplinaire». Il suffit d'analyser à l'intérieur du projet les tâches à réaliser et de sélectionner celles qui ont intérêt à être vécues en ateliers, que ce soit individuellement ou en équipe. Vous vivrez alors en grand groupe les activités ou les situations qui requièrent l'apport de toute la classe et celles qui demandent des explications que vous aurez à partager avec l'ensemble de vos élèves.

L'enrichissement et les ateliers

Le talent des enfants est un mystère impénétrable. Nous, les adultes, sous-estimons leurs capacités, leurs désirs d'accomplissement, et leurs dons – toujours nous les retenons*.
Yehudi Menuhin

L'enrichissement a une importance primordiale dans une classe régulière. Il ne doit pas se limiter à des activités dites «activités 5 minutes» ou à des exercices supplémentaires sur les notions apprises.

Les situations d'enrichissement sont là pour amener l'élève dit doué à aller plus loin dans son processus d'apprentissage, pas nécessairement au niveau des connaissances mais surtout au niveau des habiletés supérieures (analyse, synthèse, évaluation).

Ces situations doivent donner des défis à l'élève, développer ses talents, l'amener à se monter des projets personnels. En un mot, elles devraient

---

* GALLOIS, Sophie. *Genius*, Mesnil-sur-L'Estrée, Éditions Lattès, 1995, 507 p.

être là pour améliorer sa connaissance de soi et développer sa pensée créatrice.

C'est ainsi qu'il connaîtra ses forces et ses limites et aimera se surpasser. Il ne pourra pas alors dire que l'école est ennuyeuse et qu'il n'y apprend rien parce que c'est trop facile.

Les ateliers sont donc un moyen facile pour l'enseignante de fournir à l'élève des situations en enrichissement.

POURQUOI DE L'ENRICHISSEMENT?

1. Pour répondre aux différences.
2. Pour susciter l'intérêt.
3. Pour atteindre plus facilement les différents objectifs des programmes.
4. Pour amener l'élève à développer des habiletés.
5. Pour permettre à l'élève d'apprendre autant par expérience que par information et démonstration, donc pour répondre aux différentes façons d'apprendre de l'élève.
6. Pour permettre à l'élève de manipuler.
7. Pour respecter le rythme de chaque élève.
8. Pour aider l'élève à prendre en main son comportement.
9. Pour aider l'élève à prendre en main ses apprentissages.
10. Pour développer l'autonomie chez l'élève.
11. Pour permettre à l'élève de vivre des situations signifiantes qui partent de son vécu.
12. Pour permettre à l'élève d'apprendre de façon amusante.
13. Pour permettre à l'élève d'apprendre par ses erreurs.
14. Pour améliorer le climat de la classe.
15. Pour permettre à l'enseignante de guider l'élève, et non seulement de lui transmettre des connaissances.
16. Pour amener l'élève à faire des découvertes par ses propres moyens.
17. Pour permettre à l'élève de développer son esprit créateur.
18. Pour développer l'esprit d'initiative chez l'élève.
19. Pour développer l'esprit critique chez l'élève.

ÉLÉMENTS IMPORTANTS À CONSIDÉRER POUR PRÉPARER UN TABLEAU D'ENRICHISSEMENT OU DES ATELIERS D'ENRICHISSEMENT

– Viser à développer les habiletés supérieures:
  • synthèse
  • analyse
  • évaluation
– Prévoir des activités développant la créativité, l'imagination.
– Diversifier les activités (matériel, tâche, contenu, objectifs).
– Proposer des défis à la portée des élèves.
– Inviter et inciter les élèves à apporter des idées.
– Chercher à faire avancer l'élève.
– Voir à ce que les activités demandent le moins de temps de préparation possible.
– Faire en sorte qu'il y ait le moins de correction possible.
– Viser l'atteinte des objectifs généraux des programmes plutôt que celle des objectifs précis.
– Prévoir certaines activités sous forme de jeux (éducatifs ou d'ordre scolaire).
– Permettre à l'élève de présenter le résultat de ses recherches ou de son produit fini.
– Après une activité d'enrichissement, prendre le temps d'objectiver avec l'élève:
  • sur les connaissances acquises
  • sur les habiletés développées
  • sur la démarche
  • sur les attitudes
  • sur le comportement
– Avoir un moyen simple pour surveiller les activités réalisées par un ou une élève en particulier.
– Inciter l'élève à travailler de façon autonome.
– Fournir des outils d'autocorrection, des grilles.
– Faire en sorte qu'il y ait une ou quelques activités d'équipe.
– Permettre aux élèves de toute la classe de vivre des activités inscrites au tableau d'enrichissement.
– Élaborer avec l'élève des règles de vie précises lors du travail en enrichissement.

DIFFÉRENTES IDÉES DE SITUATIONS D'ENRICHISSEMENT

Voici des idées d'activités pour bâtir des ateliers en enrichissement. Il est moins important pour cette catégorie d'élèves de se soucier des objectifs scolaires.

1er cycle

- Faire des tâches de lecture (sur le bricolage).
- Créer un théâtre de marionnettes.
- Construire des maquettes.
- Faire des résolutions de problèmes.
- Rédiger des histoires (petit livre…).
- Inventer la suite d'une histoire.
- Rédiger une bande dessinée.
- Jouer à des jeux de société.
  - Uno
  - Scrabble des jeunes…
- Composer des mots croisés.
- Faire des jeux de lecture.
- Faire des jeux de mathématique.
- Jouer avec les lettres pour former des mots.
- Reconstituer des phrases à l'aide de mots.
- Composer des phrases pour faire de la reconstitution de phrases.
- Faire des activités de sciences de la nature ou de sciences humaines.
- Faire des jeux sur l'heure ou y jouer.
- Faire des jeux sur la monnaie ou y jouer.
- Travailler avec la calculatrice.
- Mémoriser des chansons, des comptines.
- Travailler sur l'ordinateur.
- Fabriquer des jeux de mathématique, de lecture ou d'autres domaines.
- Faire un menu illustré d'une journée en respectant les quatre groupes d'aliments.
- Classer des objets.
- Écrire un message pour le bureau de poste de la classe.
- Composer des messages ou des textes. Les couper en casse-tête dans le but de les faire refaire aux autres. Composer une question-défi.
- Bien lire une chanson ou une comptine pour la mimer ou l'illustrer.
- Réaliser un projet personnel ou d'équipe.
- Jouer aux cubes à histoires, etc.

2e cycle

- Faire des activités ouvertes.
- Faire des activités avec le journal.
- Rédiger des bandes dessinées.
- Faire des résolutions de problèmes.
- Faire des tâches de lecture.
- Rédiger des textes d'imitation.
- Faire des activités de sciences de la nature.
- Travailler à l'ordinateur.
- Réaliser des affiches.
- Composer des dépliants publicitaires.
- Composer des jeux de lecture.
- Composer des jeux de mathématique.
- Composer des jeux de grammaire.
- Monter une pièce de théâtre.
- Faire un travail de recherche sur un sujet particulier (artiste, sport, pays, ville, animaux, environnement…).
- Inventer la fin d'une histoire.
- Composer des mots croisés.
- Faire des jeux de société favorisant la culture générale, la logique, la déduction.
  - Génies en herbe
  - Apprenti Doctorat
  - Quiz des jeunes
  - Scrabble
  - Backgammon
  - Master Mind
  - Échecs…
- Faire des expériences scientifiques.
- Faire des activités ouvertes organisées par les élèves.
- Construire des maquettes.
- Faire des jeux de grammaire ou y jouer.
- Faire des jeux de mathématique ou y jouer.
- Faire des plans d'aménagement (mesure, échelle).
- Faire une recherche plus approfondie sur des cartes (rallye).
- Faire rédiger par les élèves des rallyes sur des cartes (routières, topographiques, de ville…).
- Faire une carte du monde sur un mur de la classe et indiquer où se passent les événements importants et d'où viennent les produits que nous utilisons (*Regard sur le monde*, 6e année).
- Inventer un jeu facilitant l'apprentissage de certaines parties du programme.
- Travailler avec la calculatrice.

- Composer des résolutions de problèmes de mathématique.
- Rédiger des messages de sensibilisation sur l'environnement ou autre pour le journal ou la radio locale.
- Établir un programme de conditionnement physique.
- Faire un menu pour une journée en suivant le guide alimentaire canadien.
- Réaliser un projet personnel ou d'équipe.
- Faire des tableaux comparatifs.

  Ex.: Ski de fond   Ski alpin
        Patinage de vitesse Patinage artistique
        Tortue   Chat

- Bâtir une série de fiches sur les animaux.
- Faire le plan d'organisation d'une fête, d'une journée de carnaval, d'une sortie.
- Inventer des jeux demandant l'utilisation du dictionnaire.
- Faire de la correspondance scolaire.
- Composer des questions ouvertes pour meubler ce tableau d'enrichissement.
- Présenter un texte de chanson en le mimant, en l'illustrant…
- Jouer aux cubes à histoires, etc.

Figure 5 Tableau des ateliers d'enrichissement pour les élèves de 4e année

Fixer un modèle de ce tableau sur un mur de la classe.

Ateliers d'enrichissement

- Jeu: Le jongleur (en équipe)
- Jeu de Scrabble (en équipe de 2)
- Création d'un conte et fabrication d'un livre pour des élèves de 1re année
- Concours de dessin proposé par les pompiers de la municipalité
- Ordinateur: Réso
- Lecture libre
- Préparation de cartons de 10 cm sur 5 cm
- Recherche de textes et d'illustrations sur les Amérindiens

Les ateliers sont écrits sur des bandes de carton qui sont ensuite fixées sur un grand carton avec de la gomme adhésive. Il est ainsi facile de les remplacer au besoin.

Figure 6 Plan de travail avec activités d'enrichissement en 6ᵉ année

Plan de travail de la semaine

Français

Lecture:
- *L'Halloween* (Oral)
- *Une méthode pour te déguiser*, p. 32 (Tâche)
- *Des goûts et des couleurs*, p. 35-36 (Oral)

Vocabulaire:
- Stratégie n° 8 (Travail: lundi) (Étude: mardi)
- *Mon échelle de mots*, p. 6 (2ᵉ colonne)

Grammaire: Orthogramme, p. 1-2 (Travail, étude, ordinateur)

Code vert:
- p. 1 à 4
- Exercices, p. 1 à 6

Conjugaison: Verbes en «er», 1ᵉʳ groupe au présent de l'indicatif (Code, p. 131)

Oral: Présentation du travail sur l'Halloween

Écriture: Nous ferons la correction de quelques lettres destinées à Claude pour nous exercer à corriger une rédaction. Ensuite, nous écrirons une autre lettre qui sera évaluée pour la deuxième étape.

Mathématique

Mathémathèque:
- p. 38-39-40-42-43
- p. 63 et feuille sur les pompiers

Sprint: p. 8 (sans calculatrice)

Plus de problèmes: Tâche n° 6

Produits de facteurs: 2-3-4-5-6-7 (Test: vendredi) Prendre note des facteurs que tu ne sais pas.

Sciences humaines

Manuel: Chap. 3, p. 18 à 21

Cahier: p. 15 à 17

Étude: Révision du chapitre 3

Évaluation: Vendredi

* travail personnel

Ateliers d'enrichissement

Ces activités d'enrichissement te sont offertes pour deux semaines.

Ordinateur: 30 minutes de chacun. S.V.P. inscrire le numéro où tu es rendu(e) sur chaque logiciel.
Lecto:
Réso:
Orthogramme:
Fractions:
Transformations géométriques:

Jeu: Jeu sur les fractions (en équipe de 2, de 3 ou de 4)

Expérience scientifique: (Tâche de lecture) Fabriquer un interrupteur.

Bricolage: Un fantôme de l'Halloween (Tâche de lecture)

Écriture: Écrire une lettre à un jeune enfant: cousin, cousine, voisin, voisine, camarade, élève du préscolaire ou de 1ʳᵉ année, pour lui donner des conseils de sécurité pour passer l'Halloween.

Surprise: Concours des pompiers

BONNE SEMAINE!   MONIQUE

Aide-mémoire

Bonjour,

Nous avons vu assez de matière pour commencer à faire des évaluations sérieuses pour la première étape. J'espère que les élèves qui font toujours leur possible auront de bons résultats.

Objectifs personnels de la semaine:
Apprentissage:
Comportement:

Lundi: Lecture: *L'Halloween* (Oral)
Stratégie: Travail
Grammaire:
Anglais:

Mardi: Lecture: *Une méthode pour te déguiser*, p. 32 (Tâche)
Stratégie: Étude
Échelle de mots: Étude
Grammaire:
Mathématique:
Produits de facteurs: Étude
Anglais:

Mercredi: Lecture: *Des goûts et des couleurs* (Oral)
Grammaire:
Échelle de mots: Étude
Mathématique:
Produits de facteurs:
Anglais:

Jeudi: Échelle de mots: Évaluation
Mathématique:
Produits de facteurs: Évaluation
Sciences humaines: Évaluation (chap. 3)
Anglais:

Vendredi: Ateliers pour ceux et celles qui ont terminé leur plan de travail

Chers parents,

Vous recevrez un bulletin de comportement cette semaine. Si vous avez des questions à poser, veuillez communiquer avec la direction, qui me les acheminera. Vous pouvez aussi écrire vos commentaires sur le plan de travail ou sur le bulletin. Merci.

Source: Monique Deschênes-Caron, École Desbiens, Dégelis

L'enseignante précise au départ les périodes prévues pour le travail avec tout son monde et laisse l'élève gérer le reste des activités. Il est toujours possible et même souhaitable d'intégrer des ateliers au tableau de programmation. Pour plus de détails, voyez les figures 17 et 18 dans la section «Les ateliers dans une approche thématique ou un projet interdisciplinaire».

La planification des ateliers

Fonctionner par ateliers dans une classe peut nécessiter un changement dans la façon de concevoir la planification de l'enseignement. Tout dépend alors de la place que vous voulez accorder à ce mode organisationnel.

Si vous planifiez votre enseignement en fonction du matériel de base à votre disposition et non en fonction des objectifs des programmes, vous trouverez alors ce programme beaucoup trop chargé pour y insérer des ateliers. Vu ainsi, vous aurez raison, car le matériel de base dans plusieurs matières propose différentes situations pour atteindre les mêmes objectifs, et c'est bien ainsi.

C'est à vous qu'il revient donc de faire des choix. Ne vous croyez surtout pas dans l'obligation de tout faire. Certaines activités de ce matériel peuvent même être réalisées en ateliers et vous pouvez en remplacer certaines par d'autres que vous trouvez plus motivantes pour les élèves (par exemple un jeu sur les homophones, une activité à l'ordinateur, un atelier de manipulation sur les fractions…). Vous trouverez une liste d'éléments importants au tableau 3.

Portons maintenant un regard sur les objectifs des programmes. Ceux-ci comprennent des objectifs généraux et des objectifs intermédiaires. N'oubliez pas que les objectifs intermédiaires aident à atteindre l'objectif terminal et que certains d'entre eux sont facultatifs. En axant votre enseignement sur les objectifs généraux en fonction des habiletés que les programmes visent à développer, vos élèves réussiront sûrement les épreuves de synthèse de fin d'année, car celles-ci sont faites en fonction de ces objectifs et de ces habiletés.

Comme le travail en ateliers vise la formation fondamentale, cette approche développe chez l'élève l'ensemble des habiletés. Il vous suffit de prendre connaissance de vos objectifs et des habiletés à développer chez l'élève et de planifier les ateliers en tenant compte de ces éléments. Vous pouvez le faire en fonction d'un thème ou d'un projet interdisciplinaire relié au thème de votre matériel de base. Vous faites alors un tri dans les situations puisées dans votre matériel de base et pouvez ajouter d'autres situations (un jeu, un atelier de manipulation sur la mesure…) pouvant atteindre les objectifs visés.

La planification se fait à long terme, ce qui peut signifier pour l'élève deux ou trois semaines de travail ou plus, selon le cas. Lorsque la préparation des activités est terminée, les élèves peuvent les réaliser. Pendant ce temps, vous pourrez planifier la prochaine série d'ateliers et les activités en grand groupe qui s'y greffent. Vous pourrez également préparer tout le matériel pédagogique et technique nécessaire.

Tableau 3 Éléments importants dans le fonctionnement d'une classe-ateliers

Voici une liste d'éléments importants qui entrent dans le fonctionnement d'une classe-ateliers:

- Affichage des objectifs des programmes à l'atelier ou dans le document accompagnant le matériel d'atelier.
- Situation des ateliers à l'intérieur d'un scénario d'apprentissage.
- Démarches écrites, enregistrées ou visuelles.
- Encadrement disciplinaire en collaboration avec les élèves.
- Individualisation des règles de vie.
- Objectivation du comportement et des apprentissages.
- Régularité dans l'horaire et dans les activités d'une journée.
- Activités communes (tout le groupe).
- Rencontres en sous-groupes (rendez-vous quotidien).
- Causerie du matin (visualisation).
- Gestion mentale.
- Gestion des devoirs par l'élève.
- Jeu comme moyen privilégié d'apprentissage.
- Tutorat, si cela est nécessaire.
- Autocorrection, si cela est possible.
- Activités en équipe, en dyade, individuelles et en grand groupe.
- Participation de l'élève dans l'élaboration de tâches d'apprentissage pour alimenter les ateliers.

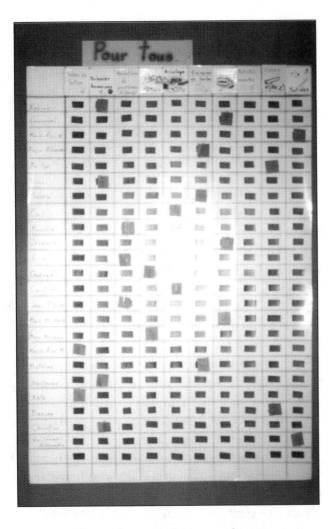

Cette façon de procéder vous donne une certaine liberté dans le choix de votre temps de planification, car il ne vous restera qu'une courte préparation à faire chaque soir. Les avantages de cette façon de faire sont nombreux: la journée du lendemain est toujours prête quoi qu'il arrive, et il est plus facile de se faire remplacer si la suppléante connaît ce mode de fonctionnement.

LES CHOIX D'ATELIERS ET LES FEUILLES DE ROUTE

Afin de guider l'élève dans ses choix d'ateliers et pour vous permettre de savoir où en est chaque élève dans ses activités, vous pouvez proposer à l'élève une feuille de route à remplir après chaque atelier. Voici quatre exemples de ce que pourrait être une feuille de route.

La première feuille de route (figure 7) sert dans des classes régulières d'environ 25 élèves et accompagne le tableau de consignation des ateliers

expliqué aux figures 12 et 13. Elle permet de présenter aux élèves des activités pour toute la classe en première partie et des activités pour les élèves en enrichissement dans la seconde partie. L'enseignante qui l'utilise vit des ateliers avec ses élèves une ou deux fois par semaine. Elle pourrait en vivre plus souvent et la feuille de route pourrait être la même. Chaque élève possède la sienne. Chaque rangée de petits cercles équivaut à une série d'ateliers qui peut durer un certain temps selon le nombre de fois par semaine que l'élève peut y travailler. Ce plan peut donc servir pour sept séries d'ateliers. L'élève qui a commencé un atelier et ne l'a pas terminé colorie en rouge la moitié du cercle vis-à-vis de l'atelier. Lorsque son travail est terminé, l'élève finit de colorier son cercle en vert. C'est le même principe que pour le tableau de consignation des ateliers.

La deuxième feuille de route (figure 8) a été conçue pour une enseignante qui recevait des élèves en dénombrement flottant. Cette enseignante présentait d'abord à ses élèves une série d'ateliers: ordinateur, tâches de lecture, activité à partir de livres de bibliothèque, jeux… Ensuite, les élèves choisissaient l'ordre dans lequel les ateliers seraient réalisés et le travail commençait.

La troisième feuille de route (figures 9 et 10) est celle que j'utilise dans ma classe en adaptation scolaire. Elle est en vigueur durant environ trois semaines. L'élève a sur ce plan de travail tout ce qui doit être fait pendant ce laps de temps: les ateliers, les pages à faire dans son ou ses livres de mathématique et dans sa chemise (livre de français ou autres exercices sur des feuilles placées dans une chemise). L'atelier **Livre de mathématique** équivaut à ce que l'élève a à faire dans son livre de mathématique, tandis qu'à l'atelier **Mathématique** l'élève réalise surtout des jeux de mathématique et des activités de manipulation sur les solides, les fractions, la mesure, la géométrie… L'atelier **Au son** est un atelier d'écoute. Le moniteur linguistique pour favoriser le langage fait partie de cet atelier.

Les élèves choisissent leurs devoirs parmi tout le travail noté sur cette feuille de route. Je ne gère pas les devoirs. Lorsque, le matin, l'élève vient me montrer son devoir, j'écris un **X** dans la section «devoirs» de sa feuille de route. À la fin de chaque atelier pour lequel l'élève a satisfait à mes exigences, je mets un petit autocollant vert dans la case de droite. Pour certains ateliers, mes exigences ont trait au nombre de fois (par exemple, ordinateur: quatre fois). Pour d'autres ateliers, elles concernent la réalisation de la tâche exigée à l'atelier. À la fin de la série d'ateliers, l'élève qui a réussi à passer à travers tout le travail demandé a le droit d'utiliser deux fois une cassette de jeu sur l'ordinateur. En plus, chaque autocollant vert obtenu et chaque **X** marqué pour les devoirs donnent droit à 10 ¢ d'argent scolaire. Nous faisons ensuite la paie et les élèves cumulent leur argent pour faire des achats lorsque le magasin scolaire ouvre. Parfois, sur la feuille de route, des activités supplémentaires peuvent être placées dans des ateliers. Elles sont alors encerclées. Ce sont des activités **EN PRIME**. Les élèves peuvent les faire seulement lorsque tout le travail indiqué sur la feuille de route est terminé. Elles valent 50 ¢ d'argent scolaire.

Les élèves manifestent beaucoup de motivation avec cette façon de procéder et ne voient pas le temps passer.

L'élève vit environ quatre ateliers par jour. Le reste du temps est consacré à des activités en grand groupe ou en sous-groupe pour des mises en situation, de l'objectivation, de la visualisation, de la gestion mentale, des situations de lecture et d'écriture, de l'évaluation et des explications sur de nouvelles notions.

La quatrième feuille de route (figure 11) a été conçue par une enseignante du secondaire dans un groupe de cheminement particulier continu. Elle enseigne plusieurs matières à ce même groupe et fonctionne aussi avec un plan de travail intégrant des ateliers. Ce modèle convient très bien aux élèves ainsi qu'à l'enseignante. Ses élèves aiment l'école et n'ont pas du tout envie de décrocher. Leur présence régulière à l'école le prouve. Ce qui veut dire que l'application de cette méthode est aussi possible au secondaire, en tout ou en partie.

Les ateliers peuvent faire partie d'un menu de journée, d'un tableau d'enrichissement, d'un horaire des ateliers, d'un plan de travail ou d'un tableau de programmation. Que ce soit dans un mode ou dans un autre, il importe de limiter jusqu'à un certain point les inscriptions à ces ateliers. Vous devez préciser au départ le nombre possible d'élèves à chaque atelier et le nombre de périodes prévues dans la journée pour le travail

Cartons ateliers sur le bureau de l'élève. Son choix de la journée.

personnel et pour les ateliers (par exemple: le lundi 5 octobre: trois périodes d'ateliers).

L'élève peut faire ses choix, les inscrire dans un carnet de bord en indiquant la date, ou encore aller écrire son nom vis-à-vis de la période choisie pour les ateliers qui exigent un maximum d'élèves. Par exemple, l'élève va inscrire son nom vis-à-vis de la période 1 sur la feuille placée à l'ordinateur et choisit ses périodes d'activités d'équipe en fonction des autres membres de son équipe. Pour ce qui est des ateliers à faire à son bureau, l'élève n'a pas besoin de s'inscrire. Vous supervisez alors le travail réalisé par le carnet de bord ou par une feuille de route. Cette façon de faire vaut surtout pour une classe régulière qui fonctionne avec un plan de travail comportant certains ateliers.

Si vous travaillez en fonction d'un horaire des ateliers, il est alors plus facile de vous servir d'un tableau d'inscription aux ateliers. Des détails concernant ce type de tableau vous sont donnés dans les pages qui suivent. Si vous réalisez seulement un atelier par jour ou par semaine, l'élève peut inscrire son choix sur le tableau en fixant avec un trombone un petit carton jaune vis-à-vis de son nom et de l'atelier choisi. Il lui faudra respecter le nombre limite d'inscriptions dans chacun des ateliers. Ce nombre peut être indiqué sur le petit carton du pictogramme au haut du tableau.

À la fin de la session de l'atelier, l'élève remplace son carton jaune par un rouge, si son travail n'est pas terminé, ou par un vert, si les exigences de l'atelier ont été remplies, avec l'accord de l'enseignante.

Si votre groupe d'élèves est peu nombreux, comme en adaptation scolaire, chaque élève peut avoir une pochette de plastique, du genre pochette de livret de caisse populaire, dans laquelle se retrouvent tous les cartons d'ateliers possibles. Ceux-ci sont illustrés par des pictogrammes que les élèves retrouvent à l'endroit où se tiennent les ateliers et sur le tableau d'inscription aux ateliers. Une liste de pictogrammes est proposée aux pages 34, 35 et 36. L'élève choisit donc ses cartons (trois ou quatre par jour) en fonction des ateliers qui l'intéressent. Vous pouvez guider l'élève en tenant compte des ateliers déjà commencés et l'inciter à faire des mathématiques et du français quotidiennement.

Chaque jour, à tour de rôle, vous faites choisir les ateliers que les élèves veulent faire et vous les inscrivez sur le tableau. Si vos élèves font en moyenne quatre ateliers par jour, vous devez alors avoir quatre séries de petits cartons jaunes numérotés 1, 2, 3 et 4. Cela vous permet de voir sur le tableau qui est à l'ordinateur à la période 1, qui est à l'atelier de mathématique à la période 2, et ainsi de suite. Vous devez surveiller le nombre d'inscriptions à chaque atelier et faire des changements, s'il y a lieu. À la fin de la journée, vous changez les petits cartons jaunes pour des rouges ou des verts, selon le cas. Vous pouvez, par la même occasion, apposer un petit autocollant vert sur la feuille de route de l'élève, si le travail de l'atelier est terminé.

Ce tableau d'inscription (figure 12) vous donne une vue d'ensemble du travail réalisé par les élèves. Lorsque l'ensemble des ateliers a des cartons verts, vous devez songer à remplacer la série d'ateliers.

Vous enlevez alors tous les petits cartons et recommencez le même processus avec une nouvelle série d'activités pour chacun des ateliers et une nouvelle feuille de route.

Le système velcro vous permet de changer certains pictogrammes au besoin, mais il est préférable, pour s'éviter du travail, de donner aux ateliers des noms assez vagues, comme «Lecture»,

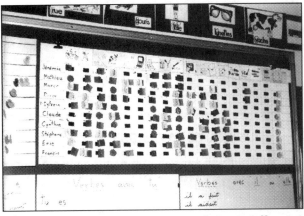

«Écriture»…, qui peuvent englober différents genres d'activités.

Vous préparez un tableau comme celui qui est illustré sur la photo ci-haut et des petits cartons de couleur que vous placez dans les petites boîtes ou le contenant compartimenté.

Si vous voulez que les élèves s'inscrivent à plus d'un atelier à la fois, vous devez numéroter les petits cartons jaunes.

Vous inscrivez l'élève, ou l'élève même s'inscrit sur le tableau en plaçant un petit carton jaune vis-à-vis de son nom et de l'atelier choisi. À la fin de la session d'ateliers, l'élève remplace le petit carton jaune par un petit carton rouge, si la tâche demandée n'est pas terminée. Ce moyen vous indique que le travail est amorcé mais non terminé. L'élève qui a terminé la tâche exigée par l'atelier remplace le carton rouge ou le jaune par un carton vert. Cela vous permet d'avoir une vue d'ensemble du travail exécuté par la classe tout entière. Le système velcro vous permet de changer les cartons d'ateliers au besoin.

Figure 7 Première feuille de route

ATELIERS							
Nom: _____							

POUR TOUTE LA CLASSE							
Jeux de lecture	◯	◯	◯	◯	◯	◯	◯
Tâches en lecture	◯	◯	◯	◯	◯	◯	◯
Mathématique	◯	◯	◯	◯	◯	◯	◯
J'écris	◯	◯	◯	◯	◯	◯	◯
Surprise	◯	◯	◯	◯	◯	◯	◯
Résolutions de problèmes	◯	◯	◯	◯	◯	◯	◯
ENRICHISSEMENT							
Mathématique	◯	◯	◯	◯	◯	◯	◯
Jeux éducatifs	◯	◯	◯	◯	◯	◯	◯
Activités ouvertes	◯	◯	◯	◯	◯	◯	◯
Écrivains et écrivaines en herbe	◯	◯	◯	◯	◯	◯	◯

Source: Ginette Soucy, École Saint-Pierre Dégelis

Figure 8 Deuxième feuille de route

Nom de l'élève: _____

HORAIRE DES ATELIERS

Je veux réaliser les ateliers suivants:

Nom de l'atelier	Ordre	Mon appréciation	Appréciation de mon enseignante
		◯	◯
		◯	◯
		◯	◯
		◯	◯
		◯	◯
		◯	◯
		◯	◯
		◯	◯
		◯	◯
		◯	◯
		◯	◯
		◯	◯

Légende: ◯ vert: réussit facilement
◯ jaune: réussit
◯ rouge: réussit difficilement

Figure 9 Troisième feuille de route

PLAN DE TRAVAIL

Semaine du: _____   Nom: _____

Ateliers	Activités à réaliser	
Jeux de lecture		
J'écris		
Mathématique		
Bricolage		
Sciences humaines		
Ordinateur		
Jeux électroniques		
Sciences de la nature		
Arts plastiques		
Lecture		
J'écris mes mots		
Au son		
Chemise		
Livre de mathématique		
Devoirs		

Figure 10 Exemple de la troisième feuille de route remplie

PLAN DE TRAVAIL

Semaine du: *20 septembre*   Nom: _____

Ateliers	Activités à réaliser	
Jeux de lecture	*Tic-tac-to avec il, ils, elle, elles* (*Les parties de la bicyclette*)	
J'écris	*Une histoire avec les diapositives*	
Mathématique	*Périmètre et surface* *Consignes sur cassettes*	
Bricolage	(*Je décalque des objets.*) } *tâches* *Le mobile de l'Halloween* } *de lecture*	
Sciences humaines	*L'épicerie: quatre factures*	
Ordinateur	*Math-thématique 1*	
Jeux électroniques	*Socrate*	
Sciences de la nature	*Une lampe de poche* } *tâches* (*Un jeu d'adresse*) } *de lecture*	
Arts plastiques	*Un paysage d'automne à la gouache*	
Lecture	*Un article d'information sur un livre lu (à rédiger)*	
J'écris mes mots	*Les mots des deux semaines*	
Au son	*J'enregistre un livre de lecture.*	
Chemise	*Tâches de lecture: envol 3* *J'apprends à écrire: p. 25-26-27-28-29-30* } *Diffère pour*	
Livre de mathématique	*Sprint: p. 10-11-12-13-14-15* *Réso: p. 8-9-10-11-12 Livre vert: p. 5-6-7* } *chaque élève*	
Devoirs		

( ) Activités en prime

Figure 11 Quatrième feuille de route

Date: _____   Nom: _____

	1	2	3	4	5	6	7	8	9
Français									
fiches									
composition									
ordinateur									
jeu									
lecture									
écriture									
Mathématique									
fiches									
jogging									
ordinateur									
jeu									
Géographie									

	1	2	3	4	5	6	7	8	9
Anglais STOP									
Arts plastiques									
Divers									
Retour									

Source: Linda St-Pierre, enseignante du secondaire au cheminement particulier continu, Polyvalente Dégelis

Pictogrammes pour illustrer les ateliers

Voici une liste de pictogrammes pouvant servir à illustrer les ateliers sur le tableau, à annoncer l'endroit où se tiennent les ateliers ou pour mettre sur les cartons destinés à chaque élève en vue de l'aider à faire ses choix.

Chemise	Arts plastiques	Je bricole
Tâches en lecture	Jeux de lecture	Projet personnel
Livre de mathématique (Je compte)	Jeux de société	Résolutions de problèmes

Formation personnelle et sociale	Éducation physique	Musique
Anniversaire	Catéchèse ou morale	Sortie
Rendez-vous	Activités communes	Art dramatique

Je lis	J'écris	Jeux
Surprise	À l'écoute	Mathématique
Ordinateur	Sciences de la nature	Sciences humaines

Vous pouvez agrandir ou réduire ces pictogrammes selon l'utilisation que vous voulez en faire.

Figure 12 Tableau d'inscription aux ateliers

Étiquettes pour annoncer les ateliers (velcro)

Noms des élèves		Peinture									Aimants
Pierre C.									□	□	□

5 cm

3 cm

80 cm

8 cm   5 cm

58 cm

Figure 13 Fabriquer un tableau d'inscription aux ateliers

Pour 25 élèves

Matériel nécessaire

1 grand carton blanc (80 cm sur 58 cm)
30 cm de velcro autocollant blanc
5 mètres de bandes magnétiques autocollantes
2 crayons acétates permanents
1 crayon acétate non permanent pour écrire sur le tableau
10 petits cartons blancs pour annoncer les ateliers (5 cm sur 5 cm)
Papier adhésif transparent pour recouvrir le tableau
Petits carrés de carton (2 cm sur 2 cm) de couleur jaune, rouge, vert
2 boîtes de trombones de 3 cm pour fixer les petits cartons de couleur
    sur le tableau
3 petites boîtes, une pour chaque couleur de petits carrés, ou contenant
    de plastique à plusieurs compartiments

Utilité du tableau

Ce tableau peut être utilisé pour inscrire le ou les ateliers auxquels les élèves
choisissent de participer.

LES ATELIERS DANS UNE APPROCHE THÉMATIQUE OU UN PROJET INTERDISCIPLINAIRE

La pédagogie par projets ou par thème est une pédagogie qui part vraiment du vécu des jeunes, de leurs centres d'intérêt. Elle favorise l'interdisciplinarité et met l'accent sur les relations entre les individus et leur milieu.

Dans la réalisation de projets, l'élève a le pouvoir de s'engager de façon significative dans les prises de décision et peut participer à l'élaboration du plan de travail. La carte d'exploration demeure un moyen facilitant l'élaboration du projet.

Le choix du projet peut se faire autour d'événements annuels (Noël, Saint-Valentin, Halloween, Pâques…) ou d'activités spéciales du milieu (carnaval, festival…). Tout sujet peut devenir prétexte à un projet (visites, voyages, protection de l'environnement, actualité…) (*voir le tableau 4*). Il suffit d'écouter les élèves. Les objectifs des sciences de la nature et des sciences humaines peuvent aussi servir de points de départ à une telle démarche.

Vous constaterez que les élèves ont l'habitude de monter des projets. Dès leur jeune âge, les enfants se planifient des activités. L'organisation de leur anniversaire de naissance, par exemple, leur a appris à se bâtir un programme d'activités, à rechercher le matériel nécessaire à la réalisation de leurs jeux et à la décoration, à faire une liste d'invités et à partager équitablement les tâches pour que la fête se déroule parfaitement. Certains enfants de cinq ans organisent même des ateliers. Les figures 14 et 15 illustrent comment planifier un projet et comment en faire un tableau de programmation compréhensible pour l'élève.

Dans la réalisation d'un projet, le rôle de l'enseignante est de guider l'élève. Elle lui donne des conseils pour choisir ses activités, l'encourage à aller jusqu'au bout du travail commencé, exige un travail de qualité, propose des idées nouvelles et l'amène à relever de nouveaux défis. Elle devient aussi une animatrice et une observatrice attentive. Elle doit permettre à l'élève de découvrir les apprentissages réalisés, dans le but de l'encourager à s'améliorer. C'est ce que nous appelons de l'objectivation. Quel mandat! Mais quel beau rôle!

Figure 14 Planification d'un projet

PROJET INTERDISCIPLINAIRE

Grille de départ

1. Choisir le thème.
2. Faire une carte d'exploration sur le thème.
3. Préciser les matières.
4. Cerner les objectifs des programmes.
5. S'approprier les démarches de chaque programme.
6. Situer ces situations dans le scénario:
   - de la mise en situation
   - de l'approfondissement...
7. Déterminer quelles situations d'apprentissage se vivront:
   - collectivement
   - en équipe
   - individuellement
   - en dyade de travail
   - en ateliers
8. Indiquer si ces situations d'apprentissage seront obligatoires, semi-obligatoires ou facultatives.
9. Déterminer combien de temps durera le projet.
10. Prévoir le matériel (jeux, volumes, logiciels...).
11. Prévoir les outils pouvant aider les élèves (référentiel, démarche...).
12. Prévoir les tâches évaluatives.
13. Objectiver pendant et après le projet.

À travers cette réalisation de projets, l'élève aura à développer diverses habiletés: la planification, la prise de décision, la divergence, la pensée évaluatrice, la convergence, la prévision, la communication et la créativité (habiletés selon Taylor*).

Les activités découlant de la mise en œuvre du projet peuvent aussi être placées dans des ateliers ou faire partie d'un tableau de programmation. Ces deux modes organisationnels peuvent être des moyens pour aider l'enseignante à voir plus clair dans l'ensemble du projet et à mieux répartir le travail.

Afin de ne pas mettre de côté certains objectifs des programmes, nous pouvons compenser en proposant aux élèves des activités complémentaires. Celles-ci peuvent être ajoutées soit aux ateliers soit au tableau de programmation. Nous devons préciser lesquelles se prêtent mieux au travail individuel, en équipe ou en grand groupe.

De plus, la pédagogie par projets peut donner une grande place aux parents qui désirent s'engager dans l'organisation ou le financement des activités, ou encore dans tout autre domaine.

Tableau 4 Quelques suggestions de projets

Aménagement de la classe
Les anniversaires des élèves de la classe
Montage d'une vidéo sur la vie en classe ou sur tout autre sujet signifiant pour le groupe
Protection de l'environnement
Pour ou contre la chasse
L'électricité et sa consommation
L'eau
Fabrication de jeux éducatifs

Exploitation d'une émission de télévision
Correspondance scolaire
L'alimentation
Visites dans le milieu: une usine, l'hôtel de ville, la caserne de pompiers, la caisse populaire...
Les règlements de l'école
Utilisation du bois
Promotion de l'exercice physique
Exploitation d'une chanson

*C. W. Taylor, «Cultivating New Talents: A Way To Reach the Educationnaly Deprived», *The Journal of Creative Behavior*, vol. 2, n° 2, 1968.

Figure 15 Tableau de programmation sur un thème

THÈME: LES ANIMAUX

En grand groupe

Retour sur la carte d'exploration

Présentation de l'oral

Retour sur les phrases avec «a» ou «à» (dégager la règle)

Présentation de l'affiche

Dégager les caractéristiques des solides

Explication des orientations nord-sud, est-ouest

Arts plastiques: Première étape: Le «voir» et explication de la technique

Éléments physiques et humains

Note: Les élèves doivent connaître au départ les périodes ou les matières que l'enseignante choisit de vivre en grand groupe. Ex.: Art dramatique, catéchèse… Celles-ci peuvent varier d'une semaine à l'autre.

Plan de travail pour la semaine du _____

EN ÉQUIPE

– Carte d'exploration sur un animal (en atelier)

– Tic-tac-to sur les mots d'orthographe (en atelier)

– Communication orale: Dialogue entre deux animaux (en atelier)

– Jeu sur les complémentaires (en atelier)

INDIVIDUELLEMENT

Français

– Une affiche sur mon animal préféré (en atelier)

– Tâche de lecture: Soins à donner au chien (en atelier)

– Trouver dans un livre de lecture 10 phrases ayant le mot «a» ou «à» (cinq phrases pour chacun). Les écrire dans son cahier.

– Cahier d'exercices, p. 12 à 15

– Livre de lecture, p. 10 à 23

Mathématique

– Sprint, p. 46 à 54

– Résolutions de problèmes, n°s 15-16-17-18

– Espace, p. 25 à 30

– Construire des solides (en atelier)

Sciences humaines

– Cahier d'activités, p. 12-13-14

– Détermination des éléments physiques et humains sur une carte (en atelier)

Formation personnelle et sociale

– Dessin d'objets jugés dangereux (en atelier)

Arts plastiques

– Représentation d'un animal avec du papier bouchonné (en atelier)

Ordinateur

– La rose des vents (en atelier)

LA DISCIPLINE ET LES ATELIERS

RÉFÉRENTIEL DISCIPLINAIRE

Le travail en atelier amène l'élève à travailler de façon différente. Il est possible qu'il y ait des élèves qui soient difficilement capables de gérer cette liberté au début. Le fait que dans la classe les élèves ne font pas tous et toutes la même chose en même temps les désorganise. C'est pour cette raison qu'il est très important d'apprendre graduellement aux élèves à gérer leur liberté, d'établir avec leur collaboration des règles de vie précises. Je dis bien avec leur collaboration, car le résultat est doublement efficace si les élèves font partie de la démarche. Leur engagement dans le processus les amène à se prendre en main plus facilement et, ainsi, à devenir de plus en plus autonomes. Il est aussi important de leur préciser autant les conséquences agréables que les conséquences désagréables qui résultent d'un bon ou d'un mauvais comportement.

DÉMARCHE PROPOSÉE

Voici une démarche qui demande l'engagement des élèves à la vie de la classe. C'est un moyen très efficace au point de vue disciplinaire. Les élèves, avec la collaboration de l'enseignante, prennent leur comportement en main, s'interrogent sur leur situation ainsi que sur les moyens facilitant leur bien-être à l'école.

Cette approche suppose, de la part de l'enseignante, une attitude très positive face à l'élève, qu'elle doit respecter, autant dans ses idées que dans sa façon d'être. Le respecter et lui faire confiance ne veut pas dire le laisser tout faire mais, au contraire, l'amener à respecter ce qui a été décidé dans le groupe, et cela, c'est très engageant pour l'élève.

L'enseignante fait partie du groupe au même titre que l'élève. Elle a aussi son mot à dire. Elle doit de plus guider, motiver, stimuler l'élève et l'amener à intégrer ses apprentissages. Elle est là pour aider l'élève à objectiver, c'est-à-dire à faire des retours sur son vécu en classe.

Cette démarche peut facilement se réaliser en début d'année. Elle amène à mieux se connaître et permet de créer des liens entre les élèves et l'enseignante.

Cette façon de faire contribue grandement au bon fonctionnement d'un travail en atelier.

1. L'idéal comme enseignante

a) L'élève réfléchit individuellement ou en équipe à ce qu'est une enseignante idéale.
b) L'élève fait ensuite le portrait de l'enseignante parfaite.
c) L'élève présente aux autres élèves de sa classe sa vision de l'enseignante idéale.

La présentation peut se faire sous forme de mime, de sketch, de rédaction ou de toute autre façon. Un exemple est donné au tableau 5.

Cette première étape permet aux élèves de prendre conscience de leurs exigences envers leurs enseignantes et, à l'enseignante, de connaître les attentes de ses élèves à son égard.

C'est, par le fait même, un moyen de se comparer à ce portrait idéal et l'occasion, parfois, d'améliorer certains points faibles de sa personnalité.

2. L'idéal comme élève

À son tour, l'enseignante donne à l'élève, sous la forme de son choix, le portrait qu'elle a elle-même fait de l'élève exemplaire (*voir l'exemple au tableau 6*). Cette prise de conscience l'amène à réfléchir sur ses exigences envers ses élèves. L'idéal comme élève, est-ce l'élève qui se plie toujours à nos désirs ou l'élève capable d'apporter des idées, de faire valoir ses droits, d'avoir une opinion personnelle?

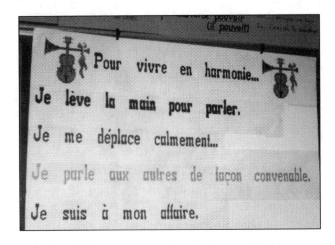

Il est important que l'élève connaisse nos valeurs en tant qu'enseignante pour mieux se situer par rapport à sa nouvelle enseignante.

3. Règles de vie

Après une prise de conscience, nous constatons qu'il n'y a personne de parfait dans la classe et que, par le fait même, tout le monde a des points précis à travailler.

L'enseignante et ses élèves déterminent alors les points importants à respecter dans la classe pour que la vie s'y déroule le mieux possible.

Ces règles de vie sont ensuite classées en quatre catégories: *planification du travail, respect des autres, entraide, auto-évaluation* (*voir les figures 16 et 17*).

Dans chacune des catégories, le groupe-classe choisit un point particulier à travailler et le note sur une feuille servant à l'évaluation ou dans un passeport (*voir figures 18 et 19*).

L'enseignante écrit sur un grand carton ces quatre consignes et fixe le carton au mur de la classe. Elle conserve tous les autres points apportés par les élèves.

Tableau 5 L'enseignante idéale

C'est une enseignante qui:

1. Est juste avec tout le monde, sans préférence, qui ne fait pas de passe-droit, qui ne fait pas de sexisme.
2. Possède le sens de l'humour, est capable de faire des farces et de détendre ses élèves.
3. N'est pas trop sévère, seulement quand c'est le temps.
4. Est disponible en classe pour aider ses élèves, pour leur donner des explications.
5. Nous fait apprendre beaucoup de choses.
6. N'exige pas le silence parfait pendant que ses élèves travaillent en classe.
7. Prend tout le temps nécessaire pour expliquer, n'est pas trop vite en affaires.
8. Donne le bon exemple à ses élèves.
9. Fait des remarques aux gens concernés.
10. Essaie le plus possible de ne pas faire de cachettes.
11. Supporte les erreurs sans trop dramatiser.
12. Laisse de la liberté à ses élèves pour leur donner la possibilité de se prendre en main.
13. Donne des explications avant de proposer un travail.
14. Explique le pourquoi d'une punition ou d'une récompense donnée à ses élèves.
15. Accepte des retards de travaux, si un ou une élève n'a pas compris ou éprouve des difficultés d'apprentissage.
16. Est capable d'accepter les idées de ses élèves, même si elles sont différentes des siennes.
17. Organise dans la classe des projets autres que des activités de mathématique et de français.
18. A la patience de recommencer les explications quand quelqu'un ne comprend pas.
19. Est de bonne humeur, a le sourire facile et est capable de rire avec ses élèves.

Voici ce que des élèves de 6e année attendent de leur enseignante Jacqueline.

Par conséquent, moi, _____,
je suis prête à fournir les efforts nécessaires pour répondre à ces attentes.

Source: Jacqueline Caron

Tableau 6 L'élève exemplaire

1. Fait son possible pour comprendre, pour faire ce qui est demandé.
2. Est capable de respecter les autres dans son langage.
3. Se prend en main et est à son affaire.
4. S'installe rapidement à son travail et ne perd pas son temps.
5. Est autonome, n'a pas toujours besoin de son enseignante.
6. Se conduit bien, même si l'enseignante n'est pas là.
7. Est capable d'accepter une remarque sans se choquer.
8. Garde sa bonne humeur le plus souvent possible.
9. Est capable de dire sa pensée sans blesser les autres.
10. Est capable de bien écouter quand quelqu'un parle dans la classe.
11. Parle à son tour.
12. Est pacifique: ne cherche pas la chicane.
13. Est calme.
14. Fait preuve de gentillesse, de politesse.
15. Est à l'ordre (bureau, cahier, ateliers).
16. Sait quand garder un secret.
17. Aime apprendre des choses nouvelles.
18. Accepte les autres comme ils sont.
19. Aime le travail bien fait.
20. Est honnête: respecte le terrain privé et le matériel des autres et est franc avec eux (dit la vérité).

Ces règles de vie doivent être révisées et adaptées selon les besoins en cours d'année.

Elles doivent être formulées de façon positive avec des messages utilisant le «je».

Les comportements formulés doivent être observables et mesurables. Le tableau 7 montre des exemples de ces comportements.

4. Étapes à suivre en cas de non-respect des règles de vie

Ce n'est pas suffisant de se donner des règles de vie, il faut savoir les respecter. Il est préférable alors de définir, avant qu'un conflit n'arrive, les actions à entreprendre lorsque les règles que le groupe-classe s'est données ne sont pas respectées.

Les élèves et l'enseignante dressent une liste des actions précises à entreprendre quand les règles de vie ne sont pas respectées (*voir la figure 20*).

Parmi les actions relevées, le groupe en retient cinq environ qu'il doit placer par ordre de difficulté croissante.

Les conséquences choisies doivent être logiques et naturelles, c'est-à-dire qu'elles ne doivent pas dépasser les limites. Il est important de choisir des moyens positifs qui amènent l'élève à cheminer. Ces mécanismes doivent suivre l'ordre dans lequel ils sont placés quand le processus s'engage pour résoudre un problème de discipline. Ils doivent correspondre à des retraits de privilèges plutôt qu'à des punitions physiques, mentales ou morales.

Premier niveau de conséquence:	élève et enseignante
Second niveau de conséquence:	élève et parents
Troisième niveau de conséquence:	élève, parents et direction de l'école.

L'enseignante écrit les étapes à suivre en cas de non-respect des règles de vie sur un grand carton, et fixe celui-ci sur un mur de la classe, à côté des règles de vie.

Voici un exemple des étapes à suivre en cas de non-respect des règles de vie élaborées par un groupe d'élèves.

1. L'enseignante avertit l'élève.
2. L'élève doit se retirer dans un coin de la classe durant une demi-heure.
3. L'élève ne participe pas à une session d'ateliers ou à des activités précisées à l'avance.
4. L'élève avertit ses parents par écrit de son non-respect d'une ou de plusieurs règles de vie établies par le groupe.
5. L'élève rencontre la direction de l'école avec son enseignante.

Les conséquences désagréables peuvent aussi être associées à chaque règle de vie. Par exemple: Je laisse mes ateliers à l'ordre; sinon la conséquence: Je range un coin de la classe.

Conclusion

L'élève sait maintenant à quoi s'en tenir: les élèves ont des droits, tout comme l'enseignante, et aussi des devoirs.

C'est un moyen pour l'enseignante de s'affirmer positivement, c'est-à-dire de communiquer clairement et précisément ses attentes à ses élèves.

Elle aura par la suite à prévoir, à énoncer, à accorder un suivi, à concrétiser ses paroles en actions.

L'enseignante doit aussi être consciente qu'elle a le droit d'exiger, dans la mesure du possible, l'appui des parents et de la direction, mais de façon constructive.

Elle n'est donc plus seule à assumer la gestion de sa classe. C'est une diminution de charge pour l'enseignante et un engagement de la part de l'élève. Cette démarche, accompagnée d'une objectivation fréquente sur le comportement, amène l'élève à modifier volontairement sa façon de faire, l'élève prenant conscience de la nécessité d'entreprendre une telle action et des bienfaits qui en découlent.

Figure 16 Contrat de respect des règles de vie

FORMULE D'ENGAGEMENT

Je m'engage à respecter les règles de vie précisées dans mon contrat.

Ces règles de vie doivent être respectées en tout temps, que je sois avec le ou la titulaire de ma classe, avec un ou une spécialiste, une autre enseignante ou la direction de l'école.

Pour montrer le sérieux de mon engagement, je signe cette formule d'engagement.

En foi de quoi, les deux parties ont signé à _____, ce _____ jour de septembre 199___.

_____
Signature de l'élève

_____
Signature de l'enseignante

_____
Signature des parents ou de la personne responsable de l'élève

Figure 17 Exemple de contrat enseignante/élève

_____, le _____ septembre 199__

CONTRAT

À toi, mon ami,
À toi, mon amie,

Tu viens à l'école _____ de _____.
Tu es ici chez toi.

Tu as des droits mais aussi des devoirs pour permettre à chaque élève de se sentir bien à l'école.

Moi, _____, ton enseignante, je serai ton guide pour t'aider à t'améliorer.

Voici les règles de vie que nous nous sommes données et que tu connais, puisque tu as eu ton mot à dire lorsque nous les avons choisies.

Règles de vie

1. Planification du travail

_____

2. Respect des autres

_____

3. Entraide

_____

4. Auto-évaluation

_____

Figure 18 Feuille d'évaluation pour les très jeunes élèves

J'ÉVALUE MON COMPORTEMENT (1re année)

Nom: _____

Légende:

Je suis très fier ou fière ☺

Je suis fier ou fière 😐

Je ne suis pas
du tout fier ou fière ☹

TRAVAIL							
RESPECT							
AIDE							
RETOUR							

Figure 19 Feuille d'évaluation

J'ÉVALUE MON COMPORTEMENT

Nom: _____

Légende:

1. Toujours
2. Assez souvent
3. Parfois
4. Jamais

Planification du travail								
Respect des autres								
Entraide								
Auto-évaluation								

Figure 20 Contrat décrivant les étapes en cas de non-respect des règles de vie

Pour s'aider à mieux respecter ces règles de vie, nous avons déterminé des étapes à suivre en cas de non-respect de celles-ci.

Je te les rappelle:

Étapes à suivre en cas de non-respect des règles de vie

1. _____

2. _____

3. _____

4. _____

5. _____

Tu te souviens, ces étapes sont là pour t'aider à améliorer ton comportement.

Bonne chance dans ton cheminement!

Ton enseignante: _____

Tableau 7 Liste de comportements mesurables et observables

Planification du travail
Je choisis bien.
Je lis les consignes.
Je finis mon travail.
J'ai de l'ordre.

Respect des autres
Je parle doucement.
Je discute calmement.
Je suis à mon affaire.
Je respecte mes camarades.
Je respecte le matériel.

Entraide
J'aide les autres.
Je fais des efforts.
Je partage le matériel.
J'accepte les autres.
J'accepte les idées des autres.
J'attends mon tour.

Auto-évaluation
Je connais les moyens aidants.
Je parle de mon travail.
Je sais ce que j'ai appris.
J'analyse bien mon comportement.

5. *Conséquences agréables*

Les conséquences désagréables incitent l'élève à améliorer son comportement, mais elles doivent être doublées, selon moi, de conséquences agréables.

Ces conséquences agréables sont là pour valoriser le bon comportement et encourager l'élève à s'améliorer.

L'important est de faire un retour sur les règles de vie, chaque jour pour les enseignantes en classe régulière ou à chaque période pour les enseignantes au secondaire et les spécialistes au primaire. L'objectivation du comportement amène l'élève à analyser ses réactions comportementales pendant la période donnée et à orienter positivement son comportement futur. Les figures 21 et 22 montrent des formulaires qui peuvent être remplis pour évaluer les comportements.

Les récompenses ne devraient pas être nécessairement coûteuses. Les privilèges que les élèves peuvent avoir dans l'école ont autant d'effets positifs que les récompenses. Une consultation auprès des élèves sur le sujet vous aiderait à préciser quelles récompenses ou quels privilèges les toucheraient plus particulièrement. Le tableau 8 donne quelques suggestions.

Tableau 8 Suggestions de récompenses ou de privilèges

- Donner de l'argent scolaire.
- Regarder un film.
- Faire une sortie en lien ou non avec la matière.
- Recevoir un cadeau placé dans une boîte à surprises.
- Circuler librement dans l'école.
- Remplacer l'enseignante pendant un moment.
- Avoir congé de devoirs ou de leçons.
- Faire une activité à un moment précis, soit dans la classe ou dans l'école.
- Jouer à un jeu vidéo sur l'ordinateur.
- Avoir droit à un projet précis.
- Prendre un repas au restaurant.
- Recevoir des billets pour un tirage.
- Faire des commissions pour l'enseignante.
- Assister à une période de jeux éducatifs (lecture, mathématique) après un laps de temps donné.
- Travailler au bureau de l'enseignante durant une période de temps donnée.
- Recevoir un beau message de l'enseignante pour ses parents.
- Recevoir une photocopie d'un jeu de français ou de mathématique pour apporter à la maison.
- Recevoir un jus.
- Recevoir des autocollants.
- Utiliser du matériel nouveau en arts plastiques.
- Avoir le droit d'apporter à la maison un livre ou un jeu que l'élève aime beaucoup.
- Avoir une responsabilité dans la classe.
- Dîner à l'école avec l'enseignante.
- Être le roi ou la reine de la journée.
- Occuper la chaise de l'enseignante durant une journée.

Figure 21 Formulaire d'évaluation du comportement

JE M'AMÉLIORE

(à faire avec mon enseignante)

Nom: _____   Date: _____

Points forts:

_____

Points à améliorer:

_____

Conditions de réalisation:

_____

_____

Conséquences agréables	Conséquences désagréables
_____	_____
_____	_____

Date de révision: _____

Évaluation:

_____

Décision:

_____

Signature de l'élève: _____

Signature de l'enseignante: _____

Signature des parents ou de la personne responsable de l'élève (si nécessaire):

_____   _____

Figure 22 Formulaire d'évaluation du comportement

JE M'AMÉLIORE

(réflexion personnelle sans la présence de l'enseignante)

Nom: _____ Date: _____

Nomme quelques-uns de tes comportements positifs: _____
_____

Quel comportement as-tu à améliorer? _____
_____

Qu'est-ce qui t'amène à développer ce mauvais comportement?
_____
_____
_____

Qu'est-ce qui, selon toi, pourrait t'aider à améliorer ton comportement? Ex.: changer de place.
_____
_____
_____

Quel privilège aimerais-tu mériter si tu améliores ton comportement?
_____
_____
_____

Que me suggères-tu de faire si ton comportement ne s'améliore pas?
_____
_____
_____

Signature de l'élève: _____

Signature de l'enseignante: _____

Signature des parents ou de la personne responsable de l'élève (si nécessaire):

_____   _____

6. Comment individualiser les règles de vie pour répondre aux besoins particuliers de l'élève en grande difficulté comportementale?

Il se peut que, pour un ou une élève en particulier, les règles de vie soient difficilement applicables, à cause du degré de difficulté des règles choisies par le groupe ou à cause de leur nombre. Il serait bon de voir avec le groupe ou avec l'élève les raisons de la difficulté éprouvée. Les exigences envers l'élève pourraient alors être diminuées et l'enseignante et l'élève pourraient donner priorité à une règle précise, seule règle sur laquelle porterait l'évaluation.

L'élève sentirait donc sa valeur personnelle s'accroître, car il lui serait possible de satisfaire à cette exigence. Par la suite, il y aurait lieu d'augmenter graduellement les exigences envers ses comportements perturbateurs.

L'enseignante peut aussi se fabriquer un tableau de comportement sur lequel des animaux — des éléphants, Mémo (en 2e année), le chien Médor (en 1re année) ou des petits chats —, portant le nom de chaque élève, peuvent avancer sur des fils de pêche fixés sur un grand carton. Le tableau pourrait avoir 10 cases et 5 petits chats,

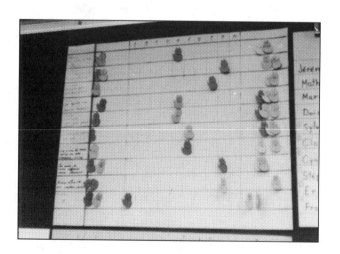

éléphants ou autres. La consigne de comportement est écrite sur le carton. Elle peut être commune à toute la classe ou, dans les groupes réduits, être individuelle, chaque élève en ayant une. Dans une classe régulière, l'élève ayant un problème particulier peut aussi avoir une consigne différente des autres élèves sans que cela pose des problèmes.

Un animal peut avancer à la fin de la journée si la consigne préétablie avec l'élève a été respectée. L'objectivation du comportement est très importante et doit être faite sérieusement. Il importe d'être ferme et de ne pas se laisser influencer par le chantage des élèves. Il y a lieu cependant de donner à l'élève le droit à une erreur.

Lorsqu'un animal a franchi la ligne d'arrivée, l'élève a droit à un diplôme ou à un privilège. Un deuxième animal entre alors dans la course, et ainsi de suite. Les récompenses peuvent être graduelles pour encourager l'élève à vouloir avancer dans la course. Les suggestions de privilèges données au tableau 8 pourront vous être utiles.

D'autres modèles de tableaux peuvent aussi avoir le même résultat. L'important c'est que chaque élève puisse bénéficier, à un moment ou l'autre, d'un privilège ou d'une récompense.

L'APPROCHE DE RÉSOLUTIONS DE CONFLITS*

L'approche suivante a été proposée par Fustier. Son objectif est de développer l'habileté à régler des conflits en collaboration avec les élèves.

Lorsque vous avez avec votre groupe un problème, un conflit à résoudre qui a trait au comportement, à l'apprentissage (stratégies...), à l'aménagement de la classe, au travail en ateliers ou autre, vous pouvez utiliser cette approche pour engager vos élèves dans les résolutions de conflits.

*Source: Jacqueline Caron et Ernestine Lepage. *Vers un apprentissage authentique de la mathématique*, collection «Outils pour une pédagogie ouverte», cahier n° 10, Laval, Éditions NHP, 1985, 189 p.

Cette démarche amène les élèves à trouver des solutions qui sont souvent meilleures que celles que des enseignantes auraient trouvées. Il faut n'avoir aucune idée de solution au départ et faire confiance aux élèves. Les résultats sont surprenants. Le temps passé à faire la démarche permet de régler presque indéfiniment le problème et d'éviter d'autres pertes de temps. Il suffit de toujours ramener les élèves aux objectifs de départ.

Voici les étapes de cette approche:

1. La perception du malaise.
2. L'exploration de l'environnement.
3. La définition des fonctions et des objectifs.
4. La recherche de plusieurs solutions possibles.
5. Le choix de la bonne solution parmi les solutions suggérées.
6. L'élaboration de la solution.
7. La diffusion de la solution.

LE TRAVAIL D'ÉQUIPE ET LES ATELIERS

Certains ateliers devraient inciter les élèves à travailler en équipe et à demander la collaboration réelle de tous les membres, à la différence d'une activité que deux élèves font ensemble, mais côte à côte (en s'entraidant pour faire une feuille de mathématique, par exemple). Pour ce genre d'aide entre les élèves, des renseignements vous seront donnés un peu plus loin, dans la section «L'entraide des pairs».

Le nombre de membres dans une équipe peut se fixer d'après la tâche à réaliser. Il est cependant préférable de limiter à deux ou à trois le nombre d'ateliers en équipe se vivant en même temps dans la classe, et cela en vue de faciliter la gestion disciplinaire et de rendre le climat de la classe plus calme et plus détendu. Les autres élèves peuvent s'adonner à d'autres activités individuelles faisant partie d'un plan de travail ou précisées par l'enseignante. Les rôles peuvent alors être inversés le lendemain.

Des règles précises doivent aussi être déterminées à l'avance avec les élèves. La figure 23 illustre un formulaire pour aider à planifier l'activité. Il est aussi important de déterminer les rôles

Sylvain et Francis ont réalisé une maquette sur les Amérindiens d'autrefois à partir de textes à l'atelier Sciences humaines.

de chaque membre de l'équipe. Le tableau 9 montre les étapes de l'organisation du travail d'équipe.

L'*animateur* ou l'*animatrice* voit à ce que l'ordre règne dans l'équipe, donne la parole à chaque membre, prévoit la ou les prochaines rencontres avec l'accord des autres membres.

Le ou la *responsable de la tâche* se charge de distribuer les tâches au sein de l'équipe, s'assure que les tâches sont réparties équitablement et que chaque élève fait le travail dans les délais prévus.

Le ou la *secrétaire* note tous les éléments décidés par les membres de l'équipe, les écrit sur la feuille de planification du travail d'équipe et rassemble tous les éléments qui compléteront le travail.

L'*orateur* ou l'*oratrice* présente le travail à toute la classe.

Les rôles ainsi partagés permettent une collaboration de tous les membres et incitent chaque élève à y mettre du sien. On évite ainsi la situation où un ou deux membres, et ce sont habituellement les mêmes, font tout le travail alors que d'autres ne font rien. Les équipes peuvent changer et être organisées de façon différente, et les rôles attribués aux membres de l'équipe peuvent changer également.

Figure 23 Formulaire pour planifier une activité d'équipe

PLANIFICATION D'UNE ACTIVITÉ D'ÉQUIPE

Nom des membres de l'équipe:

_____

Titre de l'activité: _____

Responsable de l'activité: _____

Date du début de l'activité: _____

Temps prévu (nombre de périodes): _____

Dates de travail:

_____

_____

_____

Matériel nécessaire:

_____

_____

Idées suggérées   par:

_____   _____

_____   _____

_____   _____

_____   _____

_____   _____

Moyen d'expression choisi: _____

Idée(s) choisie(s): _____

Difficulté(s) rencontrée(s): _____

Date de vérification du travail: _____

Date de remise du travail: _____

Tâche à réaliser: Nom des élèves:

_____   _____

_____   _____

_____   _____

_____   _____

_____   _____

Figure 24 Formulaire d'auto-évaluation

ÉVALUATION DU TRAVAIL D'ÉQUIPE

Titre du travail: _____   Mon nom: _____

Noms des membres de l'équipe: _____
_____
_____
_____

....

Mon évaluation   Oui   Non

1. J'ai apporté une ou des idées à l'équipe.   ❑   ❑

2. J'ai réalisé la tâche que j'avais à faire.   ❑   ❑

3. Mon comportement a été satisfaisant.   ❑   ❑

4. J'ai respecté les idées des membres de mon équipe.   ❑   ❑

5. J'ai aimé vivre l'activité.   ❑   ❑

....

J'évalue _____
            un membre de l'équipe   Oui   Non

1. Il ou elle a apporté des idées à l'équipe.   ❑   ❑

2. Il ou elle a réalisé la tâche qui était la sienne.   ❑   ❑

3. Son comportement a été satisfaisant.   ❑   ❑

4. Il ou elle a respecté les idées des membres de l'équipe. ❑   ❑

5. L'élément positif qu'il ou elle a manifesté est:

_____

Tableau 9 Étapes de l'organisation du travail d'équipe

NOUS NOUS ORGANISONS

Étapes de l'organisation du travail d'équipe

1. Lecture de la tâche
2. Vérification des étapes à suivre
3. Mise sur papier des connaissances déjà acquises sur le sujet par l'élève même
4. Mise en commun des connaissances sur le sujet
5. Organisation du plan de travail (ébauche)
6. Prévision des besoins (données sur le sujet, volumes, rencontres, autres documents…)
7. Planification de la collecte des données (partage des tâches)
8. Recherche individuelle avec notes bibliographiques (auteur, titre, pages)
9. Échange des résultats, des recherches entre les membres de l'équipe
10. Nouvelle vérification des exigences de la tâche
11. Rédaction du plan de travail
12. Choix du moyen d'expression
13. Partage des rôles en fonction de la production écrite (Qui fait quoi? – Pour quand?)
14. Rédaction des textes au brouillon et préparation de graphiques, de tableaux, de dessins, d'illustrations…
15. Autocorrection individuelle
16. Révision et correction par les autres membres de l'équipe
17. Présentation du travail au brouillon à l'enseignante
18. Rédaction et illustration du produit final

Souvent, les élèves ne savent pas fonctionner en équipe; il faut alors le leur montrer et les guider dans cette démarche. Les outils donnés à la figure 23 et au tableau 9 vous serviront à les initier au travail en équipe.

Les travaux d'équipe doivent cependant être adaptés à l'âge et au niveau des élèves. Un collectif en arts plastiques serait un modèle de travail parfait pour initier les petits de 1re et de 2e année. Les exigences et les degrés de difficulté peuvent et doivent augmenter en cours d'année et à chaque échelon scolaire.

L'objectivation aide beaucoup l'élève à avancer et à cheminer dans son travail d'équipe. Pour aider les élèves à objectiver sur leurs démarches, sur leurs attitudes, sur leurs comportements ainsi que sur les habiletés développées, l'enseignante peut leur demander de s'auto-évaluer et d'évaluer à tour de rôle un membre de leur équipe. La figure 24 propose un formulaire d'auto-évaluation. Cette démarche d'auto-évaluation n'empêche pas une objectivation avec tout le groupe. Cet échange est très enrichissant. L'objectivation doit porter autant sur la démarche que sur le résultat obtenu. C'est à partir de ce qu'elle donne que les élèves prendront des décisions pour le prochain travail d'équipe. Ainsi se feront leur évolution et leur apprentissage du travail en équipe.

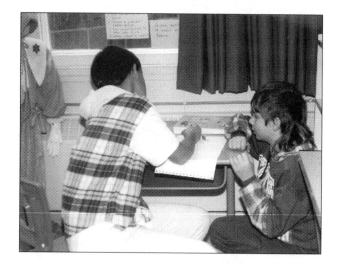

L'ENTRAIDE DES PAIRS

L'entraide entre les pairs est très précieuse. Elle aide autant l'élève qui apporte de l'aide que l'élève qui en reçoit. Le fait, pour l'élève, d'aider quelqu'un à trouver une solution à un problème l'oblige à bien clarifier sa démarche dans sa tête avant de l'expliquer. C'est donc pour l'élève un moyen d'intégration.

L'aide que l'élève donne à quelqu'un d'autre est parfois plus profitable que l'intervention de l'enseignante.

Cependant, pour que l'aide apportée soit valable, il importe de la structurer. Il faut premièrement préciser comment et quand les élèves peuvent s'apporter de l'aide. L'enseignante peut déterminer certains moments de la journée à cet effet, par exemple lors du travail en ateliers, lors de la correction des rédactions ou à d'autres moments propices à ce partage.

Voici des façons de procéder pour que les élèves puissent s'apporter de l'aide.

– Si les bureaux de la classe sont regroupés en permanence pour effectuer du travail en équipe, chaque équipe peut nommer un de ses membres pour aider les autres. Il est important qu'au départ l'enseignante s'interroge sur les critères à fixer avec toute la classe pour que les élèves qui aideront les autres puissent bien accomplir leur tâche. Ces élèves auront à apporter du soutien à tous les membres de leur équipe.

– L'enseignante peut jumeler les élèves de sa classe deux à deux. Pour ce faire, elle fait d'abord deux listes d'élèves: une liste des élèves capables d'apporter leur appui aux autres et une autre, des élèves qui ont besoin d'aide. Il s'agit, en somme d'un système de tutorat.

L'enseignante informe ensuite ses élèves qu'il leur sera permis de s'entraider, de s'apporter du soutien mutuellement, en leur expliquant que l'élève qui aide quelqu'un d'autre profite autant du système que l'élève qui se fait aider.

Lorsque ses listes sont prêtes, elle en fait part à ses élèves et présente le jumelage des élèves comme des «jumeaux de travail». L'expression est moins péjorative que les mots *parrain* ou *aidant* et *aidé*.

L'enseignante attribue une catégorie à ses listes: catégorie 1 et catégorie 2.

Les élèves de la catégorie 1 choisissent deux ou trois élèves de la catégorie 2 avec qui il leur plairait de travailler en s'assurant que le fonctionnement sera profitable aux deux partenaires.

Les élèves de la catégorie 2 choisissent deux ou trois élèves de la catégorie 1, selon le même principe.

L'enseignante fait ensuite le jumelage des élèves à partir de ces données. Les équipes peuvent être changées au besoin ou à chaque étape.

Il peut exister dans la classe des spécialistes dans certaines matières qui pourraient aider les autres. Ce moyen facilite vraiment le travail en ateliers.

Ex.: Pierre est spécialiste en ordinateur.
Mélissa est la spécialiste de l'atelier d'écriture.
Sylvain est très bon en sciences.
Anne est forte en mathématique.

ATTENTION! Le soutien apporté par un ou une élève ne doit en aucun cas empêcher l'élève de vivre des activités d'enrichissement.

Comment puis-je aider un ou une camarade?

L'enseignante doit établir une démarche avec la classe sur la façon de s'y prendre pour aider quelqu'un sans lui donner la réponse.

Voici un exemple de démarche et quelques modèles de questions que l'élève qui aide quelqu'un d'autre peut utiliser.

1. L'élève interroge son ou sa camarade:
   – As-tu bien lu ta consigne?
   – Y a-t-il dans la consigne un mot que tu ne sais pas lire?
   – As-tu pris le temps de vérifier dans ta tête si tu y as déjà placé ce mot et si tu peux le retrouver?
   – Peux-tu retrouver ce mot dans la classe ou ailleurs dans tes livres ou dans tes cahiers?
   – As-tu utilisé tes entrées en lecture?
   – Y a-t-il dans la consigne un mot dont tu ne connais pas le sens?
   – As-tu un moyen de trouver le sens de ce mot?
   – As-tu lu plus loin?
   – As-tu consulté le dictionnaire?

2. L'élève peut maintenant aider son ou sa camarade à lire la consigne, si cela est nécessaire.
   – Dis-moi ce que tu comprends?

3. À partir de ce qui est compris, l'élève peut alors continuer ses interventions.
   – As-tu utilisé les moyens de référence (stratégies, cartons de verbes sur les murs…)?

4. L'élève guide alors son ou sa camarade vers la bonne référence ou la bonne stratégie.
   – Sais-tu maintenant où tu as fait ton erreur?
   – Peux-tu la corriger?
   – Sais-tu quel matériel de manipulation pourrait t'aider?
   – Sais-tu comment l'utiliser?

Tableau 10 Bureau du mini-prof

Autocorrection

1. Commencer par **une** matière.

2. Situer le bureau dans l'espace.
   Ex.: Près du bureau de l'enseignante

3. Prévoir le matériel.
   * corrigé
   * stylo rouge
   * stylo bleu
   * autocollants ou tampons

4. Situer les élèves par rapport au scénario.

5. Respecter les trois étapes.
   a) Avant: Recevoir l'autorisation de corriger en montrant à l'enseignante le travail réalisé.
   b) Pendant: Se corriger.
   c) Après: Revoir l'enseignante et objectiver sur sa correction.

5. Si cela est nécessaire, l'élève donne des explications à son ou sa camarade à l'aide du matériel.

6. L'élève félicite son ou sa camarade, s'il y a réussite.

C'est ainsi que les élèves apprennent à passer par tous les moyens mis à leur disposition pour s'aider sans recourir à l'enseignante et sans vouloir avoir une réponse toute faite. L'élève doit donc faire des efforts personnels.

LA CORRECTION ET L'ÉVALUATION

Certains ateliers peuvent être autocorrectifs, c'est-à-dire que l'élève peut corriger son propre travail. Les travaux sont alors placés au bureau d'autocorrection (bureau du mini-prof; *voir le tableau 10*). D'autres ateliers peuvent être corrigés par l'enseignante ou par un ou une autre élève qui a déjà réussi l'activité. Ce ne sont pas tous les ateliers qui doivent être évalués. Il faut considérer que dans certains ateliers l'élève est en apprentissage. Nous ne sommes même pas toujours conscientes, comme enseignantes, des apprentissages que l'élève y fait, et c'est bien ainsi. C'est bien d'apprendre à ne pas tout superviser.

Certains ateliers permettent à l'élève d'explorer, de manipuler, de pratiquer certaines notions. Cependant, l'enseignante peut saisir l'occasion pour évaluer certaines notions (par exemple si l'élève sait mesurer en centimètres).

Dans un fonctionnement par ateliers, l'objectivation devrait prendre une large part dans l'évaluation, car elle permet à l'élève de se situer et d'avancer. C'est de l'évaluation formative. L'enseignante peut profiter de ces moments d'échange avec l'élève, individuellement ou en grand groupe, pour noter certains éléments qui serviront d'évaluation en vue du bulletin. Cela ne l'empêche pas à l'occasion, lors de ces activités communes, de faire passer à ses élèves des tests qui peuvent servir d'évaluation formative et sommative.

«Lorsque l'élève se représente que l'école poursuit des buts d'apprentissage plutôt que d'évaluation, il attribue davantage ses réussites et ses échecs à des causes qui sont sous sa responsabilité, et, surtout, sur lesquelles il peut agir activement*.»

---

* Jacques Tardif, *Pour un enseignement stratégique*, Montréal, Logiques Écoles, 1992, p. 106.

Figure 25 Éléments à considérer pour les ateliers

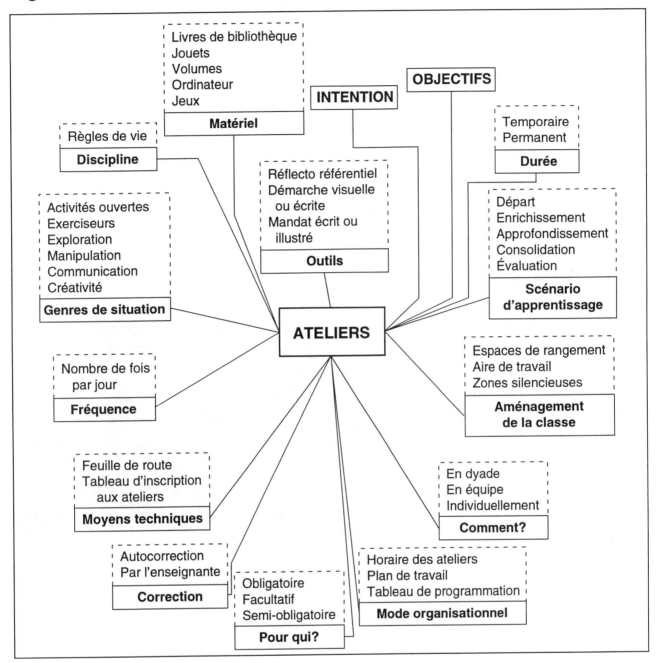

MOYENS POUR AIDER À PLANIFIER DES ATELIERS

Ce document est justement un outil pouvant simplifier grandement votre tâche dans votre planification d'ateliers. Il vous propose des activités simples qui demandent une bonne collaboration de l'élève. Ces activités sont intégrées à l'intérieur d'un scénario qui vous permettra de situer plus facilement vos ateliers dans l'ensemble de vos situations d'enseignement.

Les informations suivantes vous aideront à tenir compte de tous les éléments touchant de près ou de loin les ateliers. Elles vous offrent des outils concernant le comportement, les tâches à réaliser, le matériel à utiliser, la façon de faire, les moyens techniques, la correction, l'évaluation, l'objectivation, de même que les références à donner à l'élève et des informations pour l'aménagement de votre classe. La figure 25 vous présente l'ensemble de ces éléments.

LE MATÉRIEL ET LE CONTENU DES ATELIERS

Premièrement, il s'agit de fixer le ou les objectifs visés par l'atelier. Il est aussi important de préciser à qui s'adressera l'atelier: aux élèves qui ont de la facilité à apprendre ou qui ont terminé le travail à faire, pour enrichissement; aux élèves de toute la classe, pour approfondissement; aux élèves en difficulté d'apprentissage, pour consolidation; aux élèves de toute la classe, pour évaluation.

Ensuite, vous avez à prévoir le matériel en fonction de vos besoins. Le matériel utilisé doit varier pour augmenter la motivation chez l'élève et rejoindre autant les élèves de la famille audifive que les élèves de la famille visuelle. Le jeu peut faire partie des ateliers au même titre que d'autres genres de matériel comme l'ordinateur, le livre de bibliothèque, les expériences de sciences, le bricolage avec démarches de lecture, les arts plastiques ou autres. Il ne faut toutefois pas que l'élève associe nécessairement ateliers à jeux. C'est pour cette raison que les tâches de lecture et d'écriture signifiantes, de même que des résolutions de problèmes doivent aussi être sujets d'ateliers. Vous trouverez de plus amples détails sur le rôle du jeu dans l'apprentissage dans la section «Le jeu et les ateliers».

La variété des tâches permet de viser l'atteinte de divers niveaux d'habiletés (observer, identifier, comparer, classer, analyser, synthétiser). On peut inviter les élèves à faire des exerciseurs, à manipuler du matériel concret, à explorer, à communiquer et à créer.

Des activités de lecture signifiantes (sur le bricolage, sur des expériences de sciences, sur des tours de magie…) et des situations d'écriture réalistes et près de leur vécu intéressent beaucoup les élèves et agrémentent bien un atelier, sans toutefois exiger un travail énorme de votre part.

Comme seulement quelques élèves travaillent au même atelier à la fois, vous pouvez commander plus de matériel différent, mais en nombre plus restreint, ce qui vous permet d'avoir un éventail de matériel plus grand et plus diversifié.

Le tableau 11 et les encadrés 1 à 7 montrent les éléments aidant à monter un atelier et des exemples de contenus d'ateliers.

Tableau 11 Banque de matériel de base

Cette banque de matériel de base peut vous aider à bâtir des ateliers dans différentes matières.

Ordinateur	Solides de bois (Blockus 1 et 2)	Matériel de base en électricité
Cassettes vierges	Illustrations de toutes sortes	Menus objets de toutes sortes
Catalogues	Dépliants publicitaires	Briques Lego Technic
Revues	Dépliants touristiques	Vieille machine à écrire
Journaux	Différentes cartes (municipalité, routes…)	Vieille machine à calculer avec ruban
Corde		Calculatrice
Laine	Vieilles diapositives non utilisées	Argent scolaire
Trombones	Bâtonnets	Contenants vides d'épicerie
Pailles	Menus de restaurants	Velcro autocollant
Assiettes de carton	Séries de mots sur des cartons	Bandes magnétiques autocollantes
Centicubes	Séries de lettres sur des cartons	Attaches parisiennes
Ruban à mesurer	Séries de chiffres sur des cartons	Boîtes de différents formats
Pâte à modeler	Aimants	Tout matériel de récupération: boutons, contenants d'œufs…
Cartons (petits et grands)	Balance	
Plastique adhésif transparent	Terreau pour semis	Visionneuse à diapositives individuelle
Tangram		

Encadré 1 *Ateliers pour commencer l'année scolaire*

Qui suis-je?

Chaque élève rédige une ou quelques devinettes sur sa propre personne, sur son apparence physique et peut-être aussi sur sa personnalité.

Les devinettes sont ensuite placées dans une enveloppe ou une boîte. En grand groupe ou en ateliers, les élèves auront à associer chaque devinette à l'élève qu'elle décrit.

Je me présente

Chaque élève rédige un texte sur sa propre personne pour se présenter. Le texte est ensuite écrit sur un carton de 21,6 sur 27,9 cm, puis découpé en plusieurs morceaux pour constituer un casse-tête. Par la suite, les élèves s'échangent les casse-tête et reconstituent les textes.

Un cadeau

Chaque élève réalise un bricolage pour offrir à un ou une camarade de classe.

Message de bienvenue

Les élèves rédigent en équipe un message de bienvenue pour les autres élèves de la classe. Si le message tient en une phrase, il est découpé en mots; s'il comprend plusieurs phrases, il est découpé en phrases. Les autres équipes auront à reconstituer le message.

Une affiche

Les élèves réalisent une affiche qui fait valoir leurs goûts ou leurs intérêts (sports, émissions télévisées, films, loisirs, vedettes préférées, musique préférée…).

Autoportrait

Par le dessin, la peinture ou avec du tissu, l'élève fait son portrait ou celui de quelqu'un d'autre dans sa classe. Les travaux sont par la suite exposés dans la classe ou à l'extérieur de la classe.

Entrevue et présentation

Deux à deux, les élèves préparent une entrevue pour apprendre à mieux se connaître. Chaque élève présente l'autre de la façon la plus originale possible.

Activités de l'année

En équipe, les élèves font une liste des activités qu'ils seraient intéressés à faire pendant l'année et en choisissent une parmi celles-ci. L'équipe écrit un texte à caractère incitatif pour essayer de convaincre les autres élèves de la classe que leur activité est la meilleure.

Thème de l'année

L'enseignante lance un concours pour choisir le thème de l'année. Individuellement ou en équipe, les élèves soumettent un thème pour l'année, puis votent pour déterminer le thème.

Un autre concours peut aussi être lancé pour illustrer le thème.

Nous décorons

En fonction du thème choisi, les élèves se distribuent les tâches pour décorer le local. Les travaux peuvent se faire individuellement ou en équipe.

- Construire des solides avec des formes à découper.
- Construire des solides avec des pailles et des boules de pâte à modeler.
- Faire un mobile avec des solides.
- Manipuler des solides (arêtes, faces, sommets).
- Fabriquer des objets à partir de solides en carton (stables).
  Ex.: un robot, un moyen de transport, un bonhomme…
- Dessiner des objets dans lesquels il y a un cube, un cylindre, un cône…
- Associer des objets de la vie courante (illustrations dans des catalogues) aux différents solides.
- Bâtir une cabane à oiseaux à partir de solides.
- Faire un montage à partir de formes géométriques de carton (cercles, triangles, rectangles…).
- Mesurer des pailles et les couper selon la longueur précisée (en centimètres, en unités non conventionnelles).
- Mesurer des objets de la classe (cordes…).
- Travailler la notion du nombre avec des cubes, des plaques, des barres et des unités.
- Jouer au tic-tac-to sur les opérations.
- Faire des jeux d'association ou y jouer.
- Faire de la manipulation sur les opérations avec des réglettes, des centicubes.
- Faire des jeux sur les fractions ou y jouer.
- Faire de la manipulation sur les fractions avec des formes cartonnées, des réglettes, des journaux.
- Construire un moyen de transport (camion, auto…) avec des formes géométriques cartonnées.
- Mesurer et couper des cartons de différentes grandeurs qui peuvent servir à bâtir un jeu ou à faire une autre activité.
- Mesurer des angles.
- Construire des angles.
- Dessiner ou découper des objets qui contiennent un angle droit.
- Réaliser des modèles avec un tangram.

- Mesurer des périmètres et des aires à partir de formes cartonnées.
  - Fournir à l'élève des cartons carrés et rectangulaires de différentes grandeurs. Ces cartons représentent des champs. Les élèves ont à en mesurer le périmètre en vue d'entourer chaque champ d'une clôture (bande de carton de 3 cm de largeur).
- Faire des résolutions de problèmes sur feuilles, sur cartons ou préenregistrées sur cassette.
- Faire des activités sur la symétrie.
  - Dessiner des objets symétriques.
  - Trouver dans des livres à colorier des objets symétriques.
  - Avec le miroir de symétrie, reproduire la deuxième partie d'un dessin.
- Construire un casse-tête avec des formes géométriques que les élèves du préscolaire ou de la 1re année pourraient ensuite assembler.
- Faire des activités sur les réseaux.
  - Faire un terrain de ski de fond sur un grand carton.
- Travailler avec une calculatrice.
- Réaliser des frises.
- Jouer à «Ta maison brûle».
  - L'élève doit refaire sa garde-robe. Pour ce faire, on lui accorde 1000 $. L'élève doit dresser la liste des vêtements qui lui sont nécessaires et en vérifier les prix dans un catalogue. On lui permet d'acheter un article de sport à même le montant accordé. L'élève peut calculer la taxe ou découper les objets et les coller sur un grand carton ou une grande feuille.
  - Est-ce que l'élève aura tout ce qui lui est nécessaire?
  - Pour les élèves à un niveau plus avancé, on peut donner plus d'argent pour meubler la maison.
- Classer:
  - des blocs logiques
  - différents objets
  - différentes formes
  - des nombres

  Entourer les ensembles avec des bouts de corde ou de laine.

- Inventer un jeu d'association phrases-images.

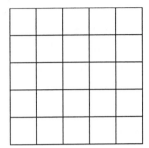

ou

24 cartes d'une couleur

> Le beau
> lapin blanc
> aime les carottes

24 cartes d'une autre couleur

- Se faire un carnet de téléphone.
- Faire des recherches dans le dictionnaire.
- Jouer aux cubes à histoires.
  - Chaque élève fait un cube et colle sur chaque face une illustration. L'élève lance trois cubes et rédige une histoire drôle à partir des trois illustrations obtenues.
- Réaliser une affiche sur:
  - son animal préféré
  - sa chanteuse ou son chanteur préféré
  - son héroïne ou son héros préféré
- Réaliser des cartes pour une ou plusieurs circonstances particulières.
  - Fête des Mères
  - Noël
  - Pâques
  - Saint-Valentin
  - Fête des Pères
  - Remerciement pour un cadeau de Noël
- Faire un petit livre.
- Rédiger un dépliant publicitaire sur la municipalité.

- Rédiger un message au directeur ou à la directrice de l'école pour lui dire:
  - ce qu'on aime faire dans la classe
  - ce qu'on a appris depuis le début de l'année
  - la façon dont on l'a appris
- Reconstituer des histoires à l'aide de phrases.
  - Rédiger une aventure, un conte.
  - Copier la production sur un grand carton en changeant de ligne à chaque phrase.
  - Découper le texte en phrases.
  - Retenir les cartons par un élastique.
  Cette activité peut ensuite faire l'objet d'un atelier de lecture. Les élèves reconstituent le texte et peuvent le dessiner.
- Organiser une course aux trésors dans la classe.
- Jouer à la boîte aux images.
  - Faire découper des illustrations par les élèves.
  - Placer ces illustrations dans une boîte.
  - Choisir cinq illustrations.
  - Rédiger une histoire à partir de ces illustrations.
- Reconstituer des phrases à l'aide de mots-étiquettes.
- Jouer au tic-tac-to sur les homophones.
- Faire des jeux sur les contraires, sur les synonymes.
- Rédiger des fiches d'information sur un livre.
- Réaliser une affiche pour faire la promotion d'un nouveau volume.
- Monter un fichier sur les animaux pour la classe.
- Jouer à faire parler des animaux.
  - L'élève découpe des animaux et les colle sur une feuille. Après avoir fait une bulle à chacun, l'élève écrit dans les bulles ce que les animaux peuvent bien vouloir dire.
- Fabriquer un cadeau de fête pour quelqu'un de sa famille ou de la classe.
- Choisir son cadeau de fête.
  - L'élève choisit dans un catalogue un objet qu'il lui ferait plaisir de recevoir. Dans un texte à l'intention de ses parents, l'élève explique pourquoi cet objet lui ferait plaisir.
- Inventer une devinette.
  - L'élève choisit un objet dans le catalogue sans le montrer aux autres et rédige une devinette sur cet objet. Après avoir lu la devinette, ses camarades devront trouver cet objet dans le catalogue à l'aide des indices donnés.

Encadré 3 *Ateliers d'écriture* (suite)

- Préparer une annonce.
  - L'élève a un objet à vendre. La meilleure façon d'y arriver est de rédiger une annonce pour le journal, qui vante l'objet et incite les gens à l'acheter.
- Inventer un nouveau concept de restaurant.
  - L'élève fait le dessin du nouveau restaurant.
  - L'élève compose ensuite le menu.
- Préparer un grand livre illustré composé d'histoires rédigées chacune par un élève.
- Faire le plus de mots possible avec des syllabes écrites sur de petits cartons.
- Faire un jeu à partir de menus objets apportés de la maison par les élèves (24 objets).
  - Rédiger des phrases décrivant ces menus objets et écrire les descriptions sur de petits cartons.
  - En faire un jeu d'association.

- Rédiger des phrases contenant des homophones: *a, on*... pour en faire un jeu de tic-tac-to.
- Travailler sur l'ordre alphabétique.
  - Mettre par ordre alphabétique des mots-étiquettes.
- Fabriquer des jeux sur les homophones.
  - association
  - dominos
  - course
  - synonymes et antonymes
  - tic-tac-to
  - verbes
- Inventer une maison.
  - L'élève invente un modèle de maison et en fait le dessin sur une feuille.
    Ex.: une maison en forme de cœur
  - L'élève décrit ensuite sa maison sur une autre feuille.
  - Les élèves auront à dessiner les maisons décrites par les autres élèves de la classe ou à associer les dessins aux descriptions.

Encadré 4 *Ateliers Tâches de lecture*

- Faire un rallye automobile sur un carton représentant une ville.
- Réaliser un bricolage pour Noël ou pour toute autre occasion avec démarche écrite.
- Lire les règles d'un jeu de cartes, ou de tout autre jeu, pour les comprendre et pour pouvoir jouer au jeu.
- Faire des jeux de résolutions de problèmes (problèmes pratiques).
- Lire la démarche d'un tour de magie pour le comprendre et l'exécuter.

- Faire des expériences de sciences avec démarche écrite.
- Reconstituer un conte à partir des paragraphes.
  - Découper un conte en séquences.
  - Demander à quelqu'un d'autre de le reconstituer.
- Dessiner un texte lu (faire un ou plusieurs dessins).
- Faire un tableau comparatif à partir d'un texte à caractère informatif.
  - Ce que je savais avant / Ce que j'ai appris de nouveau.
- Faire les activités des boîtes bleues, jaunes ou vertes des Productions «Jeu de mots».

Encadré 5 *Ateliers Au son (Écoute)*

- Écouter et écrire des phrases ou des textes en dictée.
- Apprendre des comptines, des chansons.
- Écouter de petits livres de lecture enregistrés et apprendre à les lire.
- Enregistrer une histoire, une aventure...
- Résoudre une situation mathématique enregistrée.
- Faire des résolutions de problèmes enregistrées.

- Dessiner le texte entendu.
- Apprendre les jours de la semaine, les mois de l'année préenregistrés sur cassette.
- Écouter une visualisation pour être capable de rédiger après.
- Pratiquer ses lectures.

Encadré 6 *Ateliers Sciences de la nature*

- Classer des illustrations selon qu'elles représentent des êtres vivants ou non vivants.
- Découper dans le catalogue et coller sur un carton des objets:
  - qui ont besoin d'eau pour fonctionner
  - qui ont besoin d'électricité
- Classer des animaux.
  - zoo, ferme, forêt
  - à poil, à plumes, autres
  - selon le nombre de pattes
  - selon qu'ils vivent dans l'eau, dans les airs ou dans la terre
- Classer des fruits ou des légumes.
- Classer certains fruits ou légumes, selon que la partie consommée est dans la terre, au sol ou dans les branches.
- Faire des semis et noter les observations.

- Transplanter des boutures.
- Faire des expériences avec des aimants.
- Classer des objets selon qu'ils flottent ou ne flottent pas.
- Rédiger des fiches descriptives sur les animaux.
- Faire des expériences en électricité.
- Fabriquer un mini-ordinateur.
- Faire des expériences sur l'air.
- Faire un herbier avec les feuilles en automne.
- Faire une recherche sur la nourriture des animaux.
- Faire une recherche sur les abris des animaux. Associer le nom de l'animal au nom de son abri.
- Fabriquer des machines simples avec les briques Lego Technic.
- Faire des expériences sur les matières transformées.

Encadré 7 *Ateliers Sciences humaines*

- Réaliser des activités sur l'heure.
- Réaliser des activités sur la monnaie et la valeur de l'argent.
  - Faire des jeux d'association et y jouer.
  - Découper des objets dans les catalogues et placer le bon montant d'argent selon la valeur de l'objet.
  - Apprendre la valeur de la monnaie.
  - Découper 20 objets dans un catalogue et les coller sur un carton ou une feuille, du moins dispendieux au plus dispendieux.
  - Jouer à l'épicerie.
  - Faire des factures.
- Réaliser des activités sur le temps (jours de la semaine, mois de l'année, saisons).
  - Découper des illustrations et les classer selon les saisons.
  - Faire des jeux d'association sur les saisons ou y jouer.
  - Inventer une comptine sur les jours de la semaine, les mois de l'année.
  - Placer des objets sur une ligne du temps.
- Faire des activités avec une carte routière ou toute autre carte.
  - Légende   – Échelle
- Faire un rallye avec la boussole.
- Faire des activités sur l'espace.
  - Plan de la classe   – Maquettes

- Classer des photos des commerces de la ville selon que ceux-ci vendent des biens ou offrent des services.
- Travailler sur des tableaux comparatifs.
- Faire des activités sur les métiers.
  - Faire une liste de tous les métiers connus en décrivant le travail des personnes faisant ce métier. Ajouter cinq métiers non connus en prenant des informations.
- Écrire et illustrer l'histoire d'un bien de consommation.
  Ex.: Fraise, fromage, chaise…
- Associer des objets anciens à des objets d'aujourd'hui.
  - Découper des objets anciens dans des dépliants publicitaires de sites historiques.
- Faire un tableau comparatif des conditions de vie d'autrefois et de celles de maintenant.
- Faire un tableau comparatif des gens d'ici et d'ailleurs.
- Faire un tableau comparatif présentant les caractéristiques de trois ensembles physiographiques du Québec: les Appalaches, les Basses-Terres du Saint-Laurent et le Bouclier canadien.
- Lire des données fournies sous forme de tableaux, de graphiques.
- Compléter une carte muette.
- Travailler avec le globe terrestre.

L'AMÉNAGEMENT DE LA CLASSE

L'aménagement de la classe doit se faire en fonction du thème, des ateliers à mettre en place et des tâches à réaliser, et normalement en tenant compte de l'espace disponible et du nombre d'élèves dans la classe.

Selon moi, l'enseignante ne devrait pas s'empêcher de vivre des ateliers avec ses élèves à cause du manque d'espace. Il faut considérer l'espace disponible et faire les ateliers selon cet espace. Des expériences ont été faites en ce sens et les résultats ont été positifs.

Dans une classe de grandeur ordinaire avec un groupe d'élèves normal, il suffit de placer les ateliers qui demandent beaucoup de manipulation et de matériel qui doit rester en place (mathématique, sciences, arts ou jeux) sur des tables à l'arrière de la classe (deux ou trois, si cela est possible). Le matériel demeure alors en permanence sur ces tables. Les autres éléments (matériel et démarche)

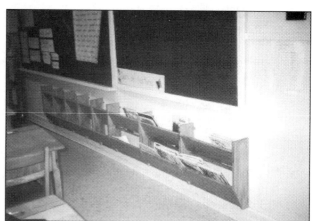

Pigeonnier sous le tableau

peuvent être rangés dans des casiers installés sur les murs à des endroits faciles d'accès pour les élèves, comme au bas des tableaux ou dans des étagères ouvertes. Il suffit de numéroter ou d'illustrer avec des pictogrammes ces sections de casiers ou d'étagères. Les élèves vont chercher le matériel en temps et lieu et réalisent la tâche à leurs bureaux si le travail se fait individuellement, sur plusieurs bureaux regroupes pour un travail d'équipe ou par

Figure 26 Plan d'une classe à effectifs réduits

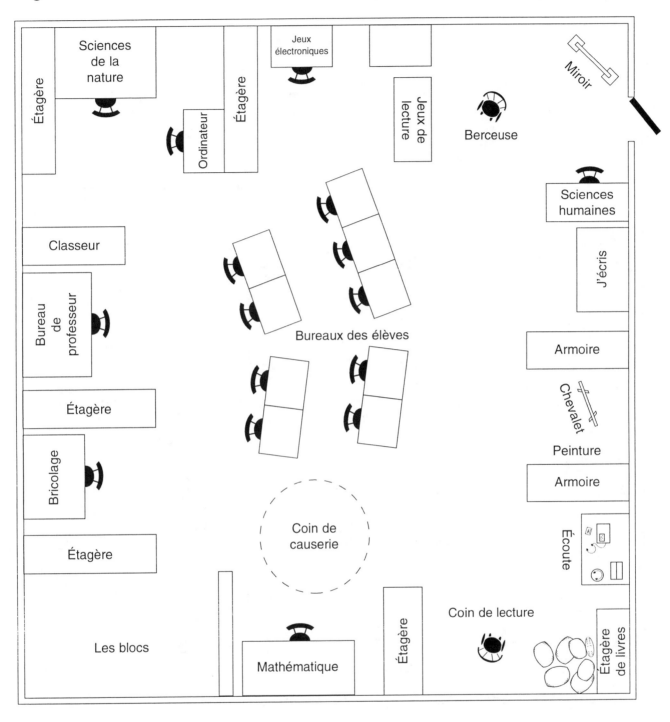

terre pour certaines autres activités d'équipe qui s'y prêtent ou pour des jeux.

Certains ateliers peuvent être permanents (atelier de manipulation en mathématique), alors que d'autres peuvent être temporaires (atelier de décorations de Noël). Pour les ateliers permanents, il suffit de changer la tâche et le matériel au besoin, selon les objectifs poursuivis dans les matières. Par

exemple, en mathématique, un atelier peut proposer des activités sur les solides, un autre, sur la notion du nombre, sur la mesure, sur la symétrie, sur les fractions, sur les réseaux…

Pour le rangement du matériel non utilisé, il faut prévoir quelques armoires. Il est très important d'avoir de l'ordre pour éviter de chercher le matériel. Aussi, des armoires ou des étagères

Figure 27 Plan d'une classe régulière

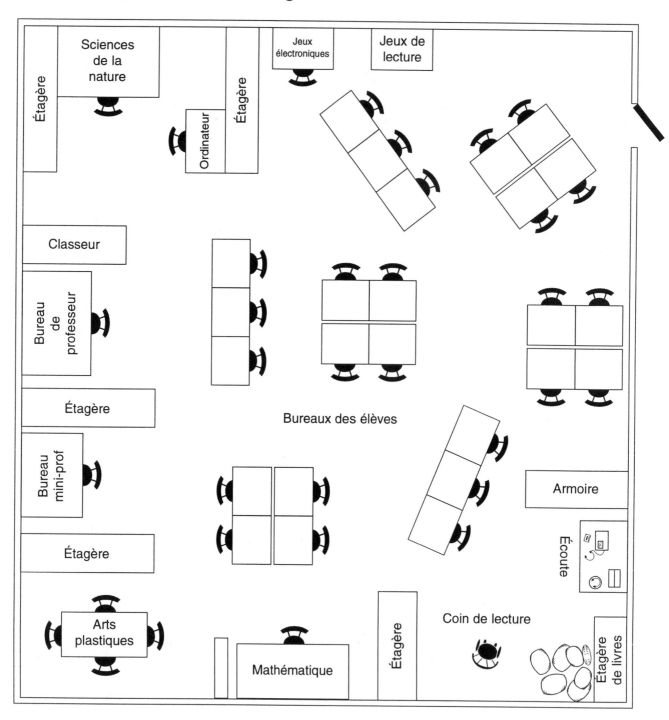

placées de façon différente permettent d'isoler certains ateliers à l'arrière de la classe.

Il serait souhaitable de prévoir un coin d'harmonie sur un mur de votre classe pour y placer les cartons comportant les règles de vie, les conséquences agréables ou désagréables et le tableau de comportement. Un bureau d'autocorrection doit être prévu, ainsi qu'un tableau ou un coin d'enri-

chissement, selon l'espace disponible.

Si vous avez un grand local ou si votre groupe est restreint, comme en adaptation scolaire ou en dénombrement flottant, vous pouvez alors organiser des petits coins séparés par des paravents ou des étagères. Les paravents et le dos des étagères peuvent servir alors de tableaux d'affichage. Dans son aménagement, il faut tenter de prévoir des zones de silence autour des ateliers demandant à l'élève plus de concentration.

La figure 26 vous propose un plan d'aménagement en ateliers d'une classe de grandeur ordinaire accueillant des élèves en adaptation scolaire dont le nombre est restreint. La figure 27 vous propose un aménagement d'une classe régulière.

LES RÉFÉRENCES POUR L'ÉLÈVE

Des outils à la portée des élèves (dictionnaires, garde-robes de mots, entrées en lecture, stratégies et démarches de résolutions de problèmes, référentiel, outils pour apprendre, étiquettes-mots sur les murs de la classe, démarches visuelles ou écrites de la tâche à réaliser à l'atelier, mandat écrit ou illustré, dictionnaire personnel de l'élève) les aident à fonctionner de façon autonome.

Les murs devraient servir à afficher des outils qui permettent à l'élève de se tirer d'embarras au lieu d'affiches inutiles. Il faut cependant habituer l'élève à utiliser les moyens de repérage à sa portée avant d'aller consulter qui que ce soit. L'élève a tendance souvent à se laisser aller à la paresse et à se fier sur ses camarades ou sur son enseignante. Lorsque l'élève agit de la sorte, la façon de faire recommandée est de ne pas lui donner de réponse, mais de l'orienter par des sous-questions aux ressources qui se trouvent dans la classe ou dans son matériel personnel.

Ex.: Où penses-tu trouver la réponse?
As-tu bien lu ta question?
Quel moyen pourrait t'aider?
Penses-tu avoir vu ce mot ou cette règle quelque part?
As-tu déjà écrit ce mot?
As-tu déjà résolu un problème semblable?

Garde-robes de mots

L'enseignante reste la dernière personne-ressource.

L'élève doit aussi retrouver à l'atelier les objectifs poursuivis par la tâche demandée, les démarches précises, les volumes de référence ainsi que tout autre matériel nécessaire pour réaliser l'activité.

DÉMARCHES ET STRATÉGIES

Il est important de donner à l'élève des démarches et des stratégies qui peuvent l'aider dans ses résolutions de problèmes dans la réalisation des tâches de lecture et d'écriture.

Ces démarches et stratégies peuvent se rattacher à certains personnages pour permettre à l'élève de visualiser les rôles de chacun. Ces rôles devraient être expliqués de façon graduelle. De la 1re à la 6e année, les stratégies utilisées doivent être progressives et ajoutées une à la fois à l'illustration du personnage approprié. Les illustrations doivent donc être affichées en permanence dans la classe. L'enseignante doit amener l'élève à s'y référer chaque fois que c'est nécessaire. Cet outil sera un atout très précieux, très visuel et significatif pour les élèves lors de leur travail en atelier comme en tout temps. C'est donc un autre moyen pour développer l'autonomie chez l'élève.

J'observe

«Qu'est-ce que j'ai à faire?»

J'observe

Je vérifie dans ma tête ce que je sais.

Je m'explique le problème deux fois.

Je redis le problème dans mes propres mots.

J'observe de façon complète et précise.
(illustrations – titres – mots – numéros)

Je compare ce qui est semblable ou différent.

Je compte les choses semblables.

Je regroupe par ensembles.

Je sélectionne l'essentiel.

Je remarque ce qui est absent.

J'appelle les choses par leur nom exact.

J'organise les informations dans le temps.

Je fais l'inventaire de mes observations.

Je fais mon plan

«Comment vais-je
m'y prendre?»

Je fais mon plan

J'anticipe le problème à résoudre.

_____

Je redis le problème dans mes propres mots.

_____

Je me fais une image du problème dans ma tête.

_____

Je cherche dans ma tête un problème ressemblant
à celui que je viens de résoudre.

_____

Je sélectionne ce qui est important pour la solution.

_____

Je planifie les étapes pour résoudre le problème.

_____

J'appelle le problème par son nom.

_____

Je fais des liens possibles entre les éléments du
problème et ce que je sais.

_____

Je conserve le problème en tête.

_____

Je me sers de ma logique.

_____

J'établis différentes hypothèses de solution.

_____

Je réfléchis aux conséquences de mes choix.

_____

Je vérifie mes hypothèses.

_____

Je fais le point sur mes progrès vers la solution.

_____

Je réalise la tâche

«Je commence par...
et ensuite je...»

Je réalise la tâche

Je tiens compte de toutes les informations.

_____

J'estime ma réponse à l'avance.

_____

Je fais preuve de précision dans ma façon de
répondre.

_____

Je sélectionne les éléments essentiels de la réponse.

_____

Je prends mon temps au moment de répondre.

_____

Je compare ma réponse avec celle qui est
attendue.

_____

Je vérifie ma réponse.

_____

J'utilise les habiletés nécessaires.

_____

Je décide

«Comment ai-je réussi?»

Je décide

Je pense à la tâche à faire dans son ensemble.

_____

Je précise bien dans ma tête la tâche à faire.

_____

Je compare les tâches et les stratégies.

_____

Je sélectionne les bonnes stratégies.

_____

J'établis l'ordre des stratégies.

_____

Je répartis bien mon temps et mes ressources.

_____

Je vérifie l'ensemble de la situation.

_____

L'objectivation et les ateliers

L'objectivation est le processus de rétroaction par lequel le sujet prend conscience du degré de réussite de ses apprentissages, effectue le bilan de ses actif et passif, se fixe de nouveaux objectifs et détermine les moyens pour parvenir à ses fins.

L'objectivation consiste en une analyse évaluative de ce que l'on est en train de faire ou de ce qu'on fait pour en tirer quelque chose de nouveau ou pour modifier quelque chose*.

Objectiver c'est évaluer en regard des finalités qu'on poursuit, estimer si les risques valent la peine d'être courus, considérer les possibilités et choisir d'agir dans la voie qui répond le mieux aux finalités visées*. «La pensée a besoin de la parole pour s'entendre penser.»

L'élève peut objectiver avec l'aide de l'enseignante sur:

— son comportement
— ses attitudes
— ses apprentissages
— les habiletés développées
— sa démarche

L'élève peut aussi développer l'habileté à faire de l'objectivation sans aide.

L'objectivation a sa raison d'être:

— **Pour l'enseignante**

L'objectivation permet à l'enseignante de voir le chemin parcouru par l'élève dans ses apprentissages. Elle sert donc d'évaluation formative. Elle oriente ainsi les interventions futures de l'enseignante en ce qui a trait au comportement, aux attitudes, aux apprentissages ainsi qu'aux habiletés développées par l'élève.

— **Pour l'élève**

L'objectivation est un moyen de mieux voir clair dans sa tête, de créer des liens entre les éléments de connaissance et ainsi de mieux intégrer ses apprentissages. Elle lui permet aussi de mieux analyser son comportement et de mieux orienter son processus de changement.

QUESTIONS À POSER LORS DES PRÉLIMINAIRES À L'ACTIVITÉ

Mise en situation

— Est-ce que je sais de quoi il est question?
— Est-ce que cette activité a du sens pour moi?
— Est-ce que j'ai de la motivation pour réaliser l'activité?
— Qu'est-ce qui m'empêche de suivre?
— Est-ce que je connais l'objectif de l'activité?
— Est-ce utile pour moi (mon enseignante me l'a-t-elle dit?)?
— Est-ce que l'activité en vaut la peine?
— Quel lien puis-je faire entre cette activité et ce que je sais déjà?

QUESTIONS À POSER LORS DE L'EXPLICATION DE LA TÂCHE OU DE LA NOTION

— Suis-je en projet de m'approprier la notion?
— Est-ce que je comprends bien les informations?
— Ai-je un comportement facilitant l'apprentissage?
— Y a-t-il des mots ou expressions que je ne comprends pas?
— Ai-je des moyens pour aller chercher ces informations?
— Ai-je assez confiance en moi pour bien comprendre?
— Ai-je bien exploré la situation?
— Ai-je bien observé?
— Ai-je porté assez attention aux informations données par l'enseignante?
— Ai-je trouvé toutes les informations nécessaires et utiles dans les circonstances?
— Est-ce que je sais maintenant quoi faire?

---

*Tiré de Renald Legendre, *Dictionnaire actuel de l'éducation*, 2e édition, Montréal, Guérin, 1993.

- Est-ce que je peux expliquer à quelqu'un ce que je dois faire?
- Est-ce que j'ai pris le temps de bien écouter ou de lire toutes les explications?

QUESTIONS À POSER LORS DE LA RÉALISATION DE LA TÂCHE

- Est-ce que j'ai toutes les informations nécessaires?
- Est-ce que j'ai toutes les connaissances nécessaires?
- Est-ce que je connais toutes les composantes du problème?
- Est-ce que j'accorde de l'importance aux bonnes choses?
- Est-ce que je m'y prends de la bonne façon?
- Suis-je en mesure de trouver différentes solutions possibles (hypothèses)?
- Suis-je capable de voir si ma réponse a du sens ou non?
- Suis-je capable de classer les informations selon leur importance ou leur pertinence?
- Ai-je les habiletés cognitives requises (comparer, analyser…)?
- Ai-je les habiletés motrices requises?
- Est-ce que j'ai bien compris ce qui est demandé dans le problème?
- Est-ce que je veux aller trop vite?

QUESTIONS À POSER LORS DE LA PHASE DE PROGRAMMATION ET DE RÉALISATION COMPORTEMENTALE

Je me prépare à agir, à répondre, à présenter un travail et je le présente.

Avant la présentation

- Suis-je vraiment prêt ou prête à donner une réponse?
- Est-ce que j'ai assez confiance en moi?
- Est-ce que j'ai peur de l'échec ou de faire rire de moi?
- Est-ce que j'ai peur de me tromper?
- Est-ce que j'ai les bons schémas pour formuler mes réponses?
- Est-ce que je démontre assez de précision?
- Est-ce exact?
- Ai-je utilisé les bonnes expressions?
- Est-ce que j'ai bien parlé?
- M'y suis-je pris de la bonne façon pour formuler et exprimer la bonne solution?
- Est-ce que j'ai tout le matériel visuel nécessaire pour aider les autres à mieux comprendre?

QUESTIONNEMENT SUR LA PHASE D'INTÉGRATION

- Est-ce que mon travail ou ma présentation me satisfait?
- Est-ce que je ressens de la fierté à mon égard?
- Quelle opinion ai-je de moi?
- Avais-je de la motivation?
- Est-ce que j'ai fait le travail avec suffisamment de soin?
- Est-ce que je désirais réussir?
- Les stratégies que j'ai utilisées ont-elles été efficaces?
- Comment m'y suis-je pris pour arriver au résultat obtenu?
- Si j'avais à refaire le travail, est-ce que je m'y prendrais de la même façon?
- Qu'est-ce que j'ai appris?
- Qu'est-ce que j'ai saisi?
- Qu'est-ce que j'ai compris?
- Qu'est-ce que je retiens?
- Qu'est-ce que cela change dans mes savoirs?
- Quand pourrai-je utiliser cela?
- Qu'est-ce que j'ai découvert?
- Mon comportement a-t-il été satisfaisant?

Moyens pour mieux gérer les différences

Voici, en résumé, divers moyens permettant de répondre à des élèves ayant des approches mentales diversifiées. Plusieurs de ces moyens peuvent facilement s'intégrer dans divers modes d'enseignement.

1. Initier les élèves au travail d'équipe.
2. Appliquer la formule du tutorat.
3. Permettre l'autocorrection.
4. Préparer un tableau d'enrichissement.
5. Donner un référentiel en français écrit.
6. Proposer le jeu comme moyen d'apprentissage.
7. Faire fabriquer des jeux, préparer des ateliers ou autre matériel par les élèves.
8. Présenter une démarche écrite du travail à réaliser. (Séquentiels, simultanés)
9. Faire des ateliers de manipulation (en mathématique, en sciences de la nature).
10. Présenter des activités d'apprentissage ouvertes.
11. Réaliser des ateliers d'exploration en sciences humaines (plan, cartes, heure, monnaie…).
12. Utiliser l'ordinateur comme moyen d'apprentissage.
13. Alterner les situations vécues en classe:
    – individuellement
    – en équipe
    – en grand groupe
14. Respecter les façons d'apprendre des élèves:
    – information
    – démonstration
    – expérience
15. Bien expliquer la situation d'apprentissage aux élèves avant de la leur faire réaliser.
16. Présenter aux élèves une démarche à suivre:
    – en lecture
    – en écriture
    – en résolutions de problèmes
17. Faire de l'objectivation sur:
    – la démarche utilisée
    – les attitudes développées
    – les connaissances acquises
    – les habiletés développées
    – le comportement
18. Engager les élèves dans la gestion de la vie en classe (règles de vie).
19. Présenter aux élèves des situations signifiantes qui partent de leur vécu.
20. Respecter les temps de l'apprentissage:
    – avant (mise en situation)
    – pendant
    – après
21. Présenter aux élèves la démarche de gestion mentale (famille auditive, famille visuelle).
22. Fournir à l'élève des outils d'auto-évaluation.
23. Avoir un aménagement de la classe qui soit souple et adapté au groupe.
24. Diversifier les approches et les moyens pédagogiques (manuels, vidéos, cassettes, ordinateurs).
25. Faire vivre aux élèves des situations d'apprentissage au lieu des activités (référence au scénarios).
26. Respecter les rythmes d'apprentissage différents.
27. Intégrer les matières, surtout en ce qui a trait aux habiletés.
28. Préciser aux élèves les objectifs des situations d'apprentissage présentées.
29. Utiliser la feuille de route, le plan de travail ou le journal de bord.
30. Utiliser divers moyens d'évaluation.
31. Aller chercher les intérêts des élèves pour favoriser leur motivation.
32. Développer chez l'élève l'habileté à l'introspection par la visualisation (aller vérifier dans sa tête).
33. Fournir à l'élève différents moyens de dépannage sur les murs (mots, étiquettes, etc.) ou ailleurs.
34. Avoir des moyens d'émulation (privilèges plutôt que récompenses).

Grille pour bâtir un atelier

Nom de l'atelier: _____

Nom de l'activité: _____

Matières visées: _____

_____

_____

_____

_____

Tâche à réaliser: _____

_____

Intention: _____

Objectifs poursuivis: _____

_____

_____

_____

_____

Situation:

❏ de départ   ❏ d'approfondissement

❏ de consolidation   ❏ d'enrichissement

❏ d'évaluation

Comment se vit l'atelier?

❏ individuellement   ❏ en dyade   ❏ en équipe

Correction

❏ par l'enseignante   ❏ par l'élève même

❏ par un ou une autre élève   ❏ autocorrection

Matériel nécessaire (Ex.: jeu, colle...):

_____

_____

_____

_____

Matériel de référence pour guider l'élève:

❏ Démarche écrite et visuelle

❏ Mandat écrit ou visuel

❏ Référentiel

❏ Dictionnaire

❏ _____

❏ _____

❏ _____

Exigence (pendant un laps de temps déterminé)

❏ L'élève réalise le travail à faire à l'atelier.

❏ une fois   ❏ trois fois

❏ deux fois   ❏ quatre fois

L'atelier se situe:

❏ dans un horaire des ateliers

❏ dans un plan de travail

❏ dans un tableau de programmation

❏ dans un tableau d'enrichissement

Durée de l'atelier:

❏ une semaine   ❏ deux mois

❏ deux semaines   ❏ _____

❏ trois semaines   ❏ _____

❏ un mois   ❏ _____

TRENTE-QUATRE SCÉNARIOS D'APPRENTISSAGE

Le scénario, c'est quoi?

Les scénarios du présent document comprennent diverses situations d'apprentissage que vos élèves pourront vivre de façon autonome. Ces situations répondent à l'atteinte d'objectifs de différentes matières du primaire, ce qui fait donc de cet ouvrage un outil privilégié en intégration des matières. Dans chacune des situations, il est nécessaire de respecter trois phases: la phase de présentation, la phase de réalisation et la phase d'intégration.

La plupart des scénarios peuvent rejoindre des élèves de plusieurs classes. Par contre, d'autres situations, en raison de leur contenu, correspondent à une ou à des classes très précises, mais peuvent facilement en rejoindre d'autres si leur contenu est adapté. L'idée de base de l'activité ou du jeu peut donc rester la même. Ce sont les objectifs atteints qui vont différer.

Ces situations d'apprentissage sont conçues principalement pour travailler en atelier, soit individuellement ou en équipe. Plusieurs peuvent servir en enrichissement pour les élèves ayant terminé leur travail normal, tandis que d'autres peuvent aider la majorité des élèves de la classe.

Le scénario comprend l'ensemble des situations d'apprentissage qu'en tant qu'enseignante vous pouvez faire vivre à vos élèves pour les aider à atteindre un ou des objectifs du programme. Il vous permet d'avoir une vue d'ensemble de votre enseignement, vous aide à le planifier et permet aux élèves de visualiser le point d'arrivée tout en connaissant les étapes pour y arriver.

Voici, tirés du *Fascicule L* de mathématique du ministère de l'Éducation, des renseignements pertinents sur le scénario d'apprentissage.

Un scénario d'apprentissage contient habituellement cinq sortes de situations: une situation de départ, une d'approfondissement, une d'évaluation formative, une de consolidation et une d'enrichissement.

Les situations de départ vous permettent de présenter aux élèves le ou les objectifs du scénario, de faire émerger leurs connaissances antérieures, de partir de leur vécu et ainsi de leur permettre de prendre conscience de leur savoir sur le sujet tout en leur faisant visualiser le point d'arrivée. Les élèves prennent pour la première fois conscience de l'objet d'apprentissage.

Les situations d'approfondissement viennent aider les élèves à approfondir les notions. Vous pouvez, et même vous devez leur en présenter plusieurs. Ces situations s'adressent à l'ensemble des élèves. Plus les situations sont diversifiées et plus il y a possibilité de manipulation, plus les élèves ont des chances de réussir.

Les situations d'évaluation permettent à l'enseignante de vérifier les apprentissages de ses élèves et à l'élève de faire le point sur ses apprentissages. Il en découle que les élèves prennent des orientations différentes. Les élèves n'ayant pas compris la notion s'engagent dans des situations dites de consolidation qui leur offrent de vivre d'autres situations pour les amener à mieux comprendre et à mieux intégrer leurs apprentissages. Pendant ce temps, les élèves qui ont maîtrisé la matière peuvent vivre des situations en enrichissement qui les font avancer dans leurs apprentissages. Les activités proposées en enrichissement sont normalement plus ouvertes et encouragent les élèves à se dépasser au point de vue des habiletés supérieures (analyse, synthèse, évaluation…). Il est de notre devoir d'inciter ces élèves à inventer, à porter des jugements, à stimuler leur imagination et ainsi à se dépasser. Il est donc important de leur donner, ou plutôt de les amener à se donner des défis.

Il est aussi primordial qu'à chacune des étapes du scénario les élèves connaissent l'intention, la ou les tâches à réaliser et les objectifs visés par l'ensemble du scénario.

Dans l'enseignement et dans l'apprentissage, la perception de la valeur de la tâche par l'élève donne lieu à une problématique importante. Celle-ci réside d'abord dans le fait que l'enseignant ne rend pas explicites pour l'élève la signification des activités, leur portée et leur influence. Ce n'est pas parce qu'une activité est planifiée dans tel but ou dans telle perspective que l'élève la reconnaît d'emblée. Si l'enseignant veut agir sur la perception de la valeur de la tâche, il est essentiel qu'il rende non seulement l'élève conscient des buts poursuivis, mais qu'il en explique les retombées personnelles et sociales pour lui. Ce n'est pas le rôle de l'élève de trouver la signification des activités dans un élan de créativité; c'est un des rôles majeurs de l'enseignant. Selon cette optique, il est probable que l'enseignant demeure beaucoup trop silencieux face à l'élève au sujet des raisons qui le conduisent à retenir telle activité plutôt que telle autre, et ce silence contribue à réduire la motivation de l'élève à l'école[1].

Le tableau qui suit vous permettra de globaliser et de visualiser le scénario ainsi que chacune de ses étapes. Il vous aidera aussi à bien situer les situations des scénarios d'apprentissage dans le temps.

La plupart des situations d'apprentissage présentées dans ce livre peuvent être utilisées à l'une ou à l'autre des étapes du scénario. Chaque scénario ne présente pas nécessairement toutes les étapes. C'est à vous de situer les diverses situations à l'étape qui vous convient le mieux dans votre classe. Il est cependant très important pour les élèves de savoir où le travail proposé se situe dans le scénario.

La motivation des élèves s'accroît avec leur engagement. L'élève sachant où se situe la situation a beaucoup plus d'intérêt à la vivre. Il est aussi très important de faire objectiver les élèves pendant ou à la fin de l'activité. Les élèves peuvent se rendre compte que la situation vécue leur a permis d'apprendre ou de consolider certaines notions, et sont à même de constater les connaissances acquises. La présentation des objectifs de l'atelier et l'objectivation favorise cette prise de conscience et, de plus, vous permet de gérer les différences dans votre classe.

Ces objectifs concernent autant la formation fondamentale que l'apprentissage scolaire. Comme ces scénarios sont réalisés en fonction de plusieurs classes dans un même local, ils facilitent d'autant l'intégration des élèves en difficulté d'apprentissage dans une classe ordinaire.

Les situations d'apprentissage peuvent être placées dans un menu de journée, un plan de travail, un tableau d'enrichissement ou un tableau de programmation.

Scénario d'apprentissage

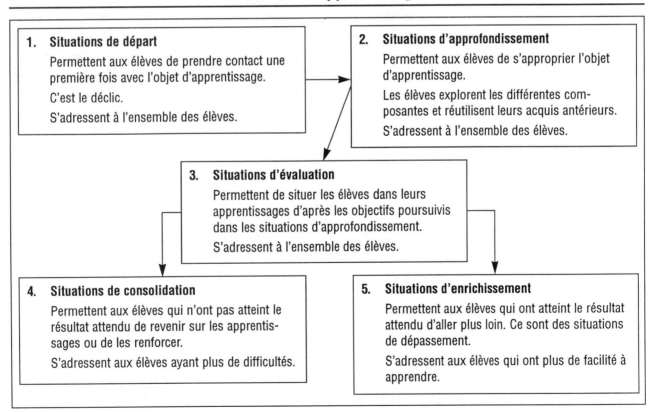

---

1. Jacques Tardif, *Pour un enseignement stratégique*, Montréal, Logiques Écoles, 1992, p. 120.

Explication détaillée d'un scénario tel qu'il est présenté dans le document

Chaque scénario comprend deux parties. La première partie s'adresse à vous comme enseignante.

Vous y trouverez:
- le ou les classes auxquelles s'adresse le scénario
- l'explication sommaire de la ou des tâches à réaliser par les élèves
- l'intention voulue par le scénario
- les matières visées par l'ensemble du scénario
- les objectifs poursuivis par le scénario dans chacune des matières
- les préparatifs à faire avant de travailler le scénario avec les élèves

Vous pouvez aussi y retrouver l'explication des différentes situations comprises dans le scénario. Il peut arriver qu'un scénario ne comporte pas les cinq sortes de situations.

Vous pourrez ainsi visualiser l'ensemble du scénario. Chaque situation offre diverses propositions d'exploitation. Il est conseillé, pour certaines situations, de les vivre en grand groupe, tandis que d'autres sont prévues pour être vécues de façon individuelle ou encore en équipe, que ce soit en atelier ou pas. Il vous appartient cependant d'adapter ces situations à des scénarios personnels.

Certaines activités du présent document peuvent être considérées comme des situations d'enrichissement ou peuvent servir dans le scénario que vous avez prévu comme situation d'approfondissement.

Il peut en être ainsi pour chacune des situations. Cependant, les activités proposées en enrichissement sont souvent plus ouvertes et la plupart amènent l'élève à aller plus loin en ce qui a trait aux habiletés supérieures (analyse, synthèse, évaluation…).

La deuxième partie s'adresse à l'élève. Ce sont les fiches de travail. Elles peuvent être reproduites pour l'ensemble de vos élèves. Elles comprennent, la plupart du temps:
- une fiche d'explication du travail qui fournit à l'élève la liste du matériel nécessaire pour réaliser l'activité et la marche à suivre
- les fiches pour la réalisation de l'activité
- parfois le corrigé

C'est avec beaucoup de plaisir que je partage avec vous ces trente-quatre scénarios en espérant qu'ils vous faciliteront la tâche si lourde et complexe qu'est l'enseignement et vous aideront à gérer les différences dans vos classes.

Grille pour bâtir un scénario

Nom du thème: _____

Tâches à réaliser:

1. _____

2. _____

3. _____

4. _____

Intention: _____

_____

_____

Matières visées: _____

_____

_____

Objectifs: _____

_____

_____

_____

_____

Situation de départ:

☐ en grand groupe   ☐ individuellement   ☐ en équipe

en atelier ☐ oui ☐ non

_____

_____

Situations d'approfondissement:

1. _____

_____

_____

☐ en grand groupe   ☐ individuellement   ☐ en équipe

en atelier ☐ oui ☐ non

2. _____

_____

_____

☐ en grand groupe   ☐ individuellement   ☐ en équipe

en atelier ☐ oui ☐ non

3. _____
_____
_____

☐ en grand groupe   ☐ individuellement   ☐ en équipe

en atelier ☐ oui ☐ non

Situation d'évaluation:

_____

☐ individuellement   ☐ en grand groupe   ☐ en atelier

Situation d'enrichissement:

_____

☐ individuellement   ☐ en équipe   ☐ en atelier

Situation de consolidation:

_____

☐ individuellement   ☐ en équipe   ☐ en atelier

Préparatifs:

jeu _____

volumes de référence _____

cartons _____

documents à reproduire _____

matériel audio-visuel _____

matériel de base _____

autres _____

Scénarios

Scénario 1	Mon corps grandit	1re et 2e année
Scénario 2	Les petits chats	1re et 2e année
Scénario 3	Ce que je mange	1re, 2e et 3e année
Scénario 4	Les animaux	1re, 2e et 3e année
Scénario 5	Toi et le chien	1re, 2e et 3e année
Scénario 6	Les saisons	1re, 2e et 3e année
Scénario 7	Les cornets	1re et 2e année
Scénario 8	Ma maison	2e, 3e et 4e année
Scénario 9	Je connais mon corps	1re, 2e et 3e année
Scénario 10	Les éléphants	1re, 2e et 3e année
Scénario 11	Mon argent	2e et 3e année
Scénario 12	Les solides	2e et 3e année
Scénario 13	La valeur de la monnaie	2e année
Scénario 14	Chandails et pantalons	2e et 3e année
Scénario 15	Bingo des additions	2e et 3e année
Scénario 16	Jogging	2e et 3e année
Scénario 17	Tic-tac-to avec les homophones	3e, 4e, 5e et 6e année
Scénario 18	Le bonhomme de neige	2e, 3e et 4e année
Scénario 19	Un robot	3e, 4e et 5e année
Scénario 20	Devinettes de mathématique	3e année
Scénario 21	Nous nous mesurons	2e et 3e année
Scénario 22	Les saisons	2e et 3e année
Scénario 23	Mon ourson préféré	2e, 3e et 4e année
Scénario 24	Mon émission préférée	2e, 3e, 4e, 5e et 6e année
Scénario 25	Tes achats de Noël	2e, 3e, 4e, 5e et 6e année
Scénario 26	Un cadeau de Noël	3e, 4e, 5e et 6e année
Scénario 27	Ma famille	2e et 3e année
Scénario 28	La boîte à surprises	2e et 3e année
Scénario 29	Une course automobile	1re, 2e et 3e année
Scénario 30	Je cherche et je trouve	4e, 5e et 6e année
Scénario 31	Jouons avec les nombres	5e et 6e année
Scénario 32	Le jongleur	2e, 3e, 4e, 5e et 6e année
Scénario 33	Tic-tac-to	1re à 6e année
Scénario 34	Dominos à histoires	1re à 6e année

SCÉNARIO 1

Mon corps grandit

TÂCHES À RÉALISER

Les élèves auront à se questionner sur chacun des membres de leur famille (physique, gestes…) pour ensuite remplir le cahier «Je grandis».

INTENTION

Associer des objets et des activités à des personnes d'âge différent.

MATIÈRES VISÉES

Arts plastiques
Sciences humaines
Français: écriture et lecture
Mathématique
Formation personnelle et sociale

OBJECTIFS

Arts plastiques:
– Être capable de se représenter en train de faire une action.

Sciences humaines:
– Situer les faits marquants de son histoire personnelle en précisant des événements, des personnages et des objets familiers.
– Associer aux différents âges de la vie de ses proches des objets caractéristiques de ces âges.

Français:

Écriture:
– Apprendre le système de la conjugaison verbale: les finales en *e*, *s*, *x* et *ai* des verbes à l'infinitif présent, commandées par le sujet «je».
– Rédiger des phrases signifiantes.
– Ponctuation: Reconnaître le rôle de la majuscule en début de phrase, du point et des virgules comme des repères servant à former des ensembles signifiants dans un texte.

Lecture:
– Reconnaître les mots usuels.
– Développer l'habileté à lire: lecture de textes à caractère incitatif.

Mathématique:
– Classer les éléments d'un ensemble selon une ou deux propriétés.

Formation personnelle et sociale:
– Indiquer ce qu'il est possible de faire maintenant et qui ne pouvait être fait étant plus jeune.
– Indiquer ce qui pourrait être intéressant à faire à l'âge adulte.

PRÉPARATIFS

– Photocopier les fiches 1 à 8a et, en huit copies, les fiches 9 et 10 pour chaque élève.
– Se procurer de vieux catalogues.

SITUATION DE DÉPART (en grand groupe)

L'enseignante échange avec les élèves sur les différences qui existent entre les membres d'une famille.
– Faisons-nous les mêmes actions?
– Avons-nous la même allure physique? (grandeur…)
– Utilisons-nous les mêmes objets?

SITUATION D'APPROFONDISSEMENT

(individuellement, en atelier)

1. Les élèves placent les illustrations aux endroits qui conviennent.
2. Les élèves écrivent les mots aux bons endroits à l'aide de la liste.
3. Les élèves découpent et collent les phrases aux endroits appropriés.

SITUATION D'ENRICHISSEMENT

(individuellement, en atelier)

Cahier «Je grandis», fiche 9 et fiche 10 (huit copies). L'enseignante donne à chaque élève huit copies de la fiche 10, une feuille pour chacun des âges suivants: 1 an, 2 ans, 4 ans, 6 ans, 10 ans, 15 ans, 20 ans et 70 ans; ainsi qu'une copie de la fiche 9 (page couverture).

Mon corps grandit

Matériel nécessaire:

Ciseaux
Colle
Fiches 2 à 8a

Marche à suivre:

1. Découpe les illustrations (fiche 6).

2. Colle chaque illustration sous le personnage à qui peut appartenir l'objet (fiche 2, 3, 4 ou 5).

3. Écris ou colle le mot désignant le nom de l'objet sous le bon objet (fiche 7).

4. Découpe les phrases (fiches 8 et 8a).

5. Colle les phrases au bas des illustrations aux endroits qui conviennent, selon que la phrase parle du bébé, de l'enfant, du grand garçon ou du papa.

6. Au verso de chaque page de ton travail (fiches 2, 3, 4 et 5), ajoute deux phrases qui parlent d'une action que chaque personnage peut faire.

1
an

4
ans

12
ans

40
ans

Fiche **6**

Mots à écrire sous les objets

bicyclette	planche à repasser	jeep
ourson	cornet	crayons
sac	planche à roulettes	robe
chapeau	marteau	hockey
cubes	bâton de baseball	bas
glissoire	corde à danser	poussette
sac		

Phrases à découper et à coller

Je bois du lait au biberon.

_____

J'ai hâte d'aller à l'école.

_____

J'aime jouer au soccer.

_____

Je vais patiner avec maman.

_____

Je vais voir mes camarades à bicyclette.

_____

Je dors dans une couchette.

_____

Je joue avec mon petit camion.

_____

Je fais l'épicerie.

_____

Je porte une couche.

_____

Je rencontre des camarades à l'école.

_____

Je conduis une auto.

_____

Je repasse les vêtements.

_____

Je répare la maison.

_____

Je garde ma sœur et mon frère.

_____

Je vais à l'école à bicyclette.

_____

J'aime avoir une tétine.

_____

Je grandis

Nom: _____

Je grandis

Âge: _____

Portrait

Ce que je fais

_____

_____

_____

_____

_____

_____

_____

_____

Objets que j'utilise

Les petits chats

Classes: 1re et 2e année

Tâches à réaliser

Les élèves auront à composer des équations, à écrire les équations sur le corps d'un petit chat et la réponse de l'équation sur la tête du chat. Les autres élèves auront à associer les corps des petits chats aux bonnes têtes.

Intention

Maîtriser les complémentaires ou les opérations tout en assemblant les petits chats.

Matière visée

Mathématique

Objectifs

- Effectuer des additions ou des soustractions de nombres inférieurs à 10.
- Effectuer des additions ou des soustractions de nombres inférieurs à 100.
- Effectuer des additions ou des soustractions de nombres inférieurs à 1000.

Préparatifs

Photocopier sur des cartons plusieurs morceaux de petits chats (fiche 1).

Situation d'enrichissement

(individuellement, en atelier)

1. L'enseignante photocopie une bonne quantité de petits chats (têtes et corps) sur des cartons de différentes couleurs (une couleur par niveau de difficulté).
2. Les élèves découpent ces petits chats.
3. Les élèves composent des équations de difficulté correspondant à leur niveau.
   Ex.:
   $$3 + 6 = 9$$
   $$\bullet\bullet + \bullet\bullet = 4 \qquad 24 + 8 = 32$$
   $$6 + 4 \;\; = 10 \qquad 154 + 172 = 326$$
4. Tous les petits chats (corps et têtes) comportant les opérations d'un même niveau de difficulté sont placés dans un sac (Ziploc ou autre).
5. Les élèves font ensuite un corrigé comprenant les opérations ainsi que les réponses.
6. Les sacs sont numérotés.

Chaque partie de petit chat peut aussi porter le numéro du sac qui la contient.

Cette activité peut rejoindre divers degrés de difficulté en numération.

Situation de consolidation

(individuellement, en atelier)

1. Les élèves font les opérations composées par les autres élèves en enrichissement.
2. L'activité consiste à associer chaque tête de petit chat à son corps.
3. Les élèves s'autocorrigent.
4. Les élèves donnent leur résultat à leur enseignante.

SCÉNARIO 3

Ce que je mange

TÂCHE À RÉALISER

Les élèves auront à classer les fruits et les légumes selon la partie qui est mangée (le fruit, la racine ou les feuilles).

INTENTION

Prendre conscience que les fruits et les légumes que nous mangeons peuvent être soit les fruits, les racines ou les feuilles de la plante.

MATIÈRES VISÉES

Sciences de la nature
Mathématique
Français: lecture

OBJECTIFS

Sciences de la nature:
– Identifier différentes plantes dont on se nourrit et découvrir la ou les parties consommées.
– Classer des végétaux de son environnement selon des caractéristiques communes.

Mathématique:
– Classer des objets selon une propriété donnée.

Français:
Lecture:
– Intégrer l'ordre alphabétique.
– Lire des textes à caractère incitatif.

PRÉPARATIFS

– Photocopier les fiches 1 à 8 pour chaque élève.
– Se procurer des cahiers publicitaires de quelques marchés d'alimentation.

SITUATION DE DÉPART
(en grand groupe)

L'enseignante fait observer des fruits et des légumes pour faire prendre conscience aux élèves que nous pouvons manger diverses parties d'une plante.

SITUATION D'APPROFONDISSEMENT
(individuellement, en atelier)

Les élèves réalisent le travail des fiches 1 à 8.

SITUATION D'ENRICHISSEMENT
(individuellement, en atelier)

1. Les élèves découpent dans un cahier publicitaire d'un marché d'alimentation d'autres fruits et légumes et les classent (fiche 9).
2. Les élèves écrivent le nom des fruits et des légumes sous les illustrations.
3. Les élèves classent ensuite ces mots par ordre alphabétique.

Ce que je mange

Matériel nécessaire:

Ciseaux
Colle
Crayon
Fiches 1, 2, 3, 4, 5, 6 et 7
Corrigé (fiche 8)

Marche à suivre:

1. Découpe les illustrations de fruits et de légumes qui apparaissent sur les fiches 3 et 4.

2. Regroupe les fruits et les légumes en trois catégories. La première catégorie comprendra ceux qui sont les feuilles d'une plante (fiche 5); la deuxième catégorie, ceux qui sont les racines d'une plante (fiche 6); et la troisième catégorie, ceux qui sont le fruit d'une plante (fiche 7).

3. Colle toutes les illustrations aux endroits appropriés.

4. Écris le nom de chaque fruit ou légume au bon endroit, à côté de chaque illustration.

5. Vérifie sur le corrigé (fiche 8) si tes réponses sont exactes.

6. Corrige tes erreurs.

Ce que je mange

Les racines?

 Les feuilles?

Le fruit?

salade

pomme

tomate

fraise

raisins

citron

navet

pêche

banane

céleri

Fiche **4**

pomme de terre

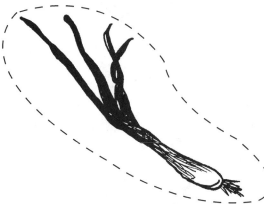

épi de maïs

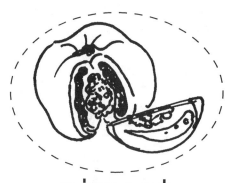

piment

échalotes

carotte

radis

orange

Feuilles

Racines

 **Fruits**

Fiche **8**

Ce que je mange
Corrigé

Racines	Feuilles	Fruit
navet	salade	pomme
carotte	échalotes	tomate
pomme de terre	céleri	fraise
		raisins
		citron
		pêche
		banane
		orange
		piment
		épis de maïs

Ce que je mange

Matériel nécessaire:

Cahiers publicitaires d'un marché
d'alimentation
Ciseaux
Colle

Marche à suivre:

1. Trouve dans des cahiers publicitaires d'un marché
   d'alimentation d'autres fruits ou légumes et continue
   la même démarche.

2. Écris sous chacune des illustrations le nom du fruit ou
   du légume.

3. Classe tous les mots de chacune des catégories par
   ordre alphabétique, si tu le veux.

4. Présente le résultat de ton travail à tes camarades
   de classe.

SCÉNARIO 4

Les animaux

TÂCHES À RÉALISER

1. Les élèves auront à classer les animaux selon qu'ils vivent dans l'eau, dans la terre, sur la terre ou dans les airs.
2. Les élèves auront à observer les animaux et à noter leurs observations (nombre de pattes…).
3. Les élèves auront aussi à s'approprier la notion de mammifère et à en identifier parmi la liste donnée.

INTENTION

Observer les animaux pour mieux les connaître.

MATIÈRES VISÉES

Sciences de la nature
Français: lecture

OBJECTIFS

Sciences de la nature:
- Décrire dans ses propres mots différentes sortes d'animaux de son environnement.
- Classer, ordonner, comparer des êtres vivants, des objets inanimés ou des phénomènes suivant une ou plusieurs propriétés communes.

Français:
Lecture:
- Reconnaître des mots usuels.
- Lire des textes à caractère incitatif.

PRÉPARATIFS

- Photocopier les fiches 1 à 8 pour chaque élève.

SITUATION DE DÉPART
(en grand groupe)

L'enseignante montre différentes illustrations d'animaux aux élèves, qui les observent dans le but de les classer.

Les élèves font un premier classement de ces animaux.

SITUATION D'APPROFONDISSEMENT OU D'ENRICHISSEMENT
(individuellement ou en équipe, en atelier)

Les élèves réalisent le travail des fiches 1 à 8.

Dans la fiche 1, les numéros 1 à 3 peuvent se faire en approfondissement par l'ensemble de la classe. Les numéros 4 à 6 peuvent se faire comme enrichissement.

Les animaux

Matériel nécessaire:

Ciseaux
Colle
Crayon
Fiches 1 à 8

Marche à suivre:

1. Découpe les animaux (fiches 2 et 3).

2. Colle les animaux aux endroits prévus à cet effet sur les fiches 5, 6, 7 ou 8, selon que l'animal vit:
   - dans l'eau
   - dans la terre
   - sur la terre
   - dans les airs

3. Colle ou écris le nom de l'animal au bon endroit à l'aide de la fiche 4.

4. À côté de chaque animal, écris le nombre de pattes qu'a l'animal.

5. Regarde de quoi le corps de chaque animal est recouvert.
   À côté de chaque animal, écris:
   - poils
   - plumes
   - écailles

6. Un mammifère a du poil et quatre pattes. Il porte et allaite ses petits.
   Colorie tous les mammifères.

papillon	oiseau	lion
mouton	mouche	chat
grenouille	girafe	lapin
cheval	chien	canard
éléphant	ver	cochon
vache	tigre	souris
tortue	singe	serpent
crabe	kangourou	poisson

Dans la terre

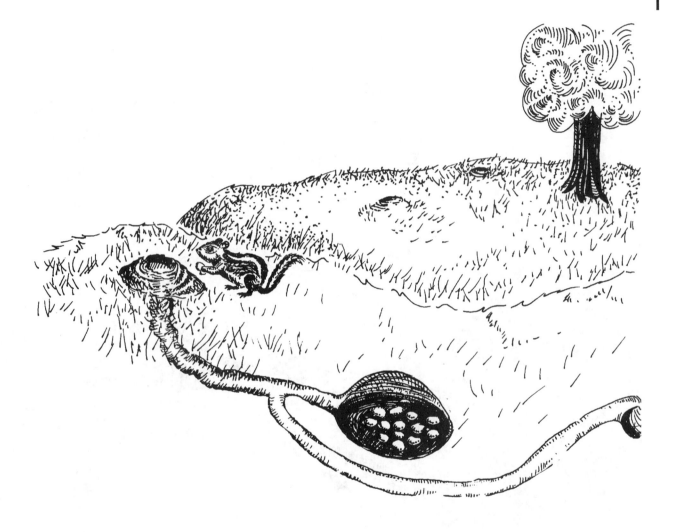

Sur la terre

Dans les airs

Dans l'eau

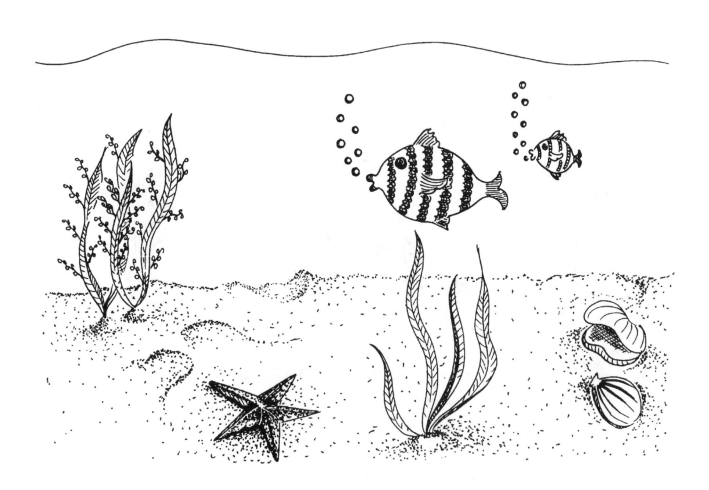

SCÉNARIO 5

Toi et le chien

TÂCHE À RÉALISER

Les élèves auront à associer diverses actions que le chien, l'être humain ou les deux font.

INTENTION

Prendre conscience qu'il y a des gestes propres à certains animaux et des gestes propres à l'être humain.

MATIÈRES VISÉES

Sciences de la nature
Français: écriture et lecture

OBJECTIFS

Sciences de la nature:
- Reconnaître des caractéristiques des animaux et des liens qu'il a avec le monde animal.
- Décrire dans ses propres mots différentes espèces d'animaux qui vivent dans son environnement.

Français:

Écriture:
- Rédiger des phrases signifiantes.

Lecture:
- Lire des textes à caractère incitatif.

PRÉPARATIFS

- Photocopier les fiches 1, 2 et 3 sur des feuilles de 21 cm sur 28 cm et les fiches 4, 5 et 6 sur des feuilles de 28 cm sur 42 cm pour chaque élève.

SITUATION DE DÉPART

(en grand groupe)

L'enseignante fait ressortir les différences entre un enfant et un animal (un chat) et, ensuite, les ressemblances entre cet animal et un enfant.

SITUATION D'APPROFONDISSEMENT

(individuellement, en atelier)

Les élèves réalisent le travail des fiches 1 à 6.

SITUATION D'ENRICHISSEMENT

(individuellement, en atelier)

L'enseignante peut demander aux élèves de donner les différences qui existent entre différentes espèces d'animaux.
Ex.: un oiseau et un chat
un chien et une souris
un chien et une tortue

Les élèves peuvent faire un tableau comparatif, y noter leurs observations et l'illustrer.

Toi et le chien

Matériel nécessaire:

Ciseaux
Colle
Fiches 1 à 6

Marche à suivre:

1. Découpe les illustrations des fiches 2 et 3.

2. Dessine ton portrait dans le rectangle sur la fiche 4 et sur la fiche 6.

3. Observe les illustrations. Tu remarqueras que certaines actions peuvent être faites seulement par toi, tandis que d'autres peuvent être faites seulement par le chien. Certaines, par contre, peuvent être réalisées autant par toi que par le chien.

4. Colle les illustrations qui se rapportent seulement à toi sur la fiche 4.

5. Colle les illustrations qui se rapportent seulement au chien sur la fiche 5.

6. Colle les illustrations qui se rapportent à la fois à toi et au chien sur la fiche 6.

main

boit

parle

regarde

pleure

s'habille

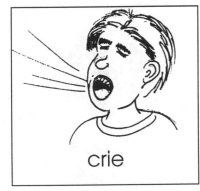

crie

cherche

court

donne

écoute

dort

lit

monte

mange

marche

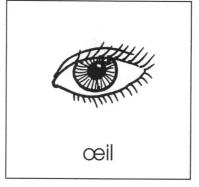

œil

nez

oreille

nage

mange
des os

jappe

a une queue

Toi

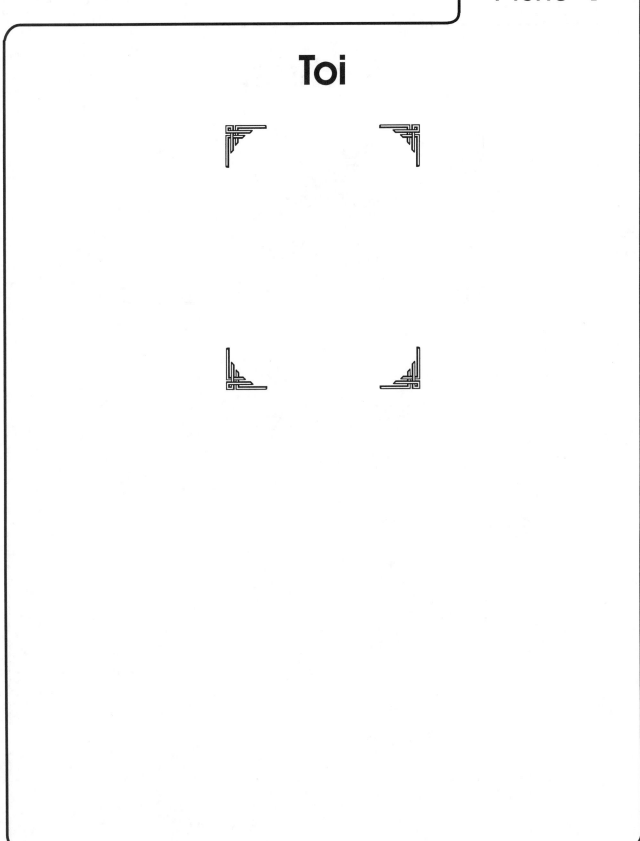

Le chien

Toi et le chien

SCÉNARIO 6

Les saisons

TÂCHES À RÉALISER

1. Les élèves auront à découper des objets pour les coller sur quatre feuilles représentant les saisons.
2. Les élèves auront à découper dans des catalogues ou des magazines des vêtements et des articles de sports convenant à chacune des saisons, pour ensuite les ajouter aux illustrations déjà collées.
3. Les élèves rédigeront deux phrases expliquant deux événements pour chacune des saisons et les écriront au bas de chacune des feuilles ou pourront réaliser une affiche sur leur saison préférée.

INTENTION

Mieux connaître les saisons.

MATIÈRES VISÉES

Sciences humaines
Français: écriture, lecture, oral
Formation personnelle et sociale
Arts plastiques

OBJECTIFS

Sciences humaines:
– Associer des activités et des événements aux divers moments de chacun des cycles.

Français:

Écriture:
– Rédiger des phrases signifiantes.
– Rédiger des textes signifiants.

Lecture:
– Lire des textes à caractère incitatif.

Oral:
– Faire un discours à caractère expressif.

Formation personnelle et sociale:
– Observer les façons de s'habiller au cours des différentes périodes de l'année.
– Trouver les raisons de s'habiller différemment selon les températures des saisons.

Arts plastiques:
– Représenter les saisons.

PRÉPARATIFS:

– Photocopier les fiches 1, 2, 3, 4, 5, 6 et 7 pour chaque élève.
– Se procurer des catalogues d'été et d'hiver.

SITUATION DE DÉPART

(en grand groupe)

L'enseignante va chercher les acquis de ses élèves sur les saisons.

Elle reprend chacune des saisons en faisant nommer par les élèves des objets et des activités connexes à chacune d'elles.

SITUATION D'APPROFONDISSEMENT

(individuellement, en atelier)

Les élèves réalisent les numéros 1, 2, 3 et 4 de la fiche 1 à l'aide des fiches 2, 3, 4, 5, 6 et 7.

SITUATION D'ENRICHISSEMENT

Les élèves réalisent les numéros 5, 6 et 7 de la fiche 1.

Les saisons

Matériel nécessaire:

Catalogues d'été et d'hiver
Fiches 1, 2, 3, 4, 5, 6 et 7
Ciseaux
Colle
Crayon

Marche à suivre:

1. Découpe les illustrations de la fiche 6.

2. Colle-les sur l'une ou l'autre des fiches 2, 3, 4 ou 5, selon la saison que l'illustration représente.

3. Découpe et colle ou écris les noms des objets à côté de chacun d'eux (fiche 7).

4. Ajoute à ces illustrations d'autres illustrations représentant des vêtements et des articles de sports pour chacune des saisons.

5. Rédige deux phrases pour chacune des saisons expliquant des événements de chacune d'elles.

6. Choisis la saison que tu préfères et réalise une affiche sur cette saison.

   Illustre la saison à ta façon et écris sur l'affiche les raisons pour lesquelles cette saison est ta saison préférée.

7. Fais une présentation orale de ton travail, si tu le veux.

Printemps

Été

Automne

Hiver

Pâques	râteau
un nid	pomme
sapin de Noël	bonhomme de neige
grand ménage	boule de neige
chasse	maïs
fleurs	camping
tondeuse	Halloween
papillon	paysage
arbre sans feuilles	

SCÉNARIO 7

Les cornets

TÂCHES À RÉALISER

Les élèves auront à découper des cornets et des boules de crème glacée pour ensuite reconstituer des mots à l'aide de syllabes. Les cornets auront deux ou trois boules selon le mot correspondant au cornet. Les élèves écriront ensuite les mots dans leur cahier. En enrichissement, les élèves choisiront d'autres mots et feront d'autres boules de crème glacée avec les mots choisis.

INTENTION

Trouver les bonnes boules de crème glacée pour chaque cornet et prendre ainsi conscience des syllabes constituant les mots.

MATIÈRE VISÉE

Français: lecture

OBJECTIFS

Français:

Lecture:
– Graphèmes-phonèmes: Construire de façon implicite le système de correspondance graphèmes-phonèmes ou syllabique.
– Lire des textes à caractère incitatif.

PRÉPARATIFS

– Photocopier la fiche 1 pour chaque élève.
– Photocopier sur des cartons une trentaine de cornets (fiche 2) que les élèves pourront découper.
– Photocopier les fiches 3, 6 et 9 sur des cartons.
– Photocopier les boules de crème glacée sur des cartons (fiches 4, 5, 7, 8, 10 et 11).

SITUATION DE DÉPART

(en grand groupe)

L'enseignante fait observer certains mots aux élèves dans le but de leur faire prendre conscience que les mots contiennent des lettres et des sons. Elle explique que les mots sont formés de parties à l'aide d'un cornet et de boules de crème glacée.

Ex.: un mot à deux boules   ro-be
un mot à trois boules   to-ma-te

SITUATION D'APPROFONDISSEMENT

(individuellement, en atelier)

Les élèves réalisent l'activité de la fiche 1 à l'aide des fiches 2 à 11.

SITUATION D'ENRICHISSEMENT

(individuellement, en atelier)

Les élèves réalisent l'activité de la fiche 12 à l'aide des fiches 13 et 14.

Les cornets

Matériel nécessaire:

9 cornets
Ciseaux
Copies des boules de crème
glacée (fiches 4 et 5, fiches 7 et 8,
fiches 10 et 11)
Copies des illustrations de la fiche 3
sur de petits cartons
Cahier ou feuille

Marche à suivre:

1. Découpe les cartons des illustrations de la fiche 3.

2. Découpe les boules de crème glacée des fiches 4 et 5.

3. Prends neuf cornets.

4. En bas de chaque cornet, place un petit carton avec une illustration.

5. Choisis les bonnes boules de crème glacée de la fiche 4 pour former le mot.

6. Place les boules de crème glacée sur le cornet.

7. Écris le mot dans ton cahier ou sur une feuille.

8. Fais de même avec les fiches 7 et 8, ainsi qu'avec les fiches 10 et 11. Tu te sers alors de la fiche 6 pour faire les fiches 7 et 8 et de la fiche 9 pour faire les fiches 10 et 11.

Les cornets

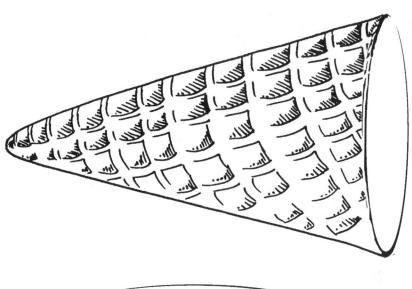

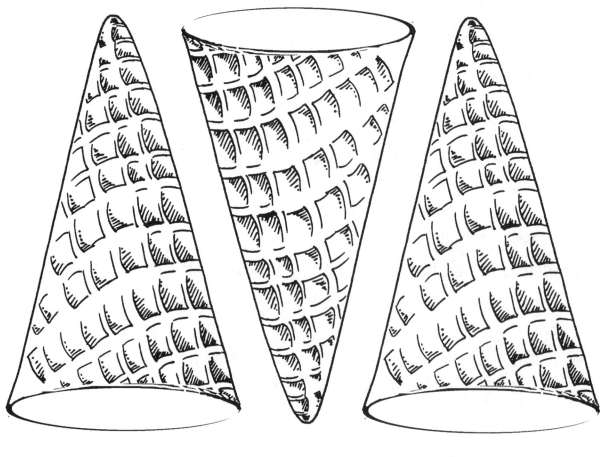

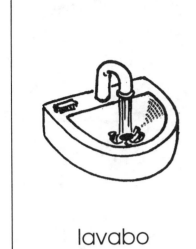

lavabo

cabane

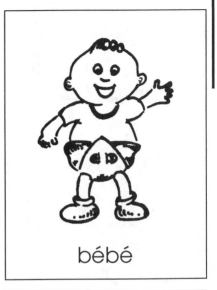

bébé

tomates

jupe

banane

auto

école

robe

ju

tes

bé

bo

ne

le

bé

ba

la

ma

ro

to

pe

na

é

ne

to

be

co

au

va

ca

ba

poisson

oiseau

lapin

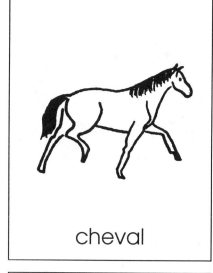

cheval

cochon

canard

singe

dindon

tigre

la

pois

ge

nard

val

gre

din

ca

son

co

pin

sin

chon

ti

oi

don

che

seau

ballon

table

ciseau

livres

pupitre

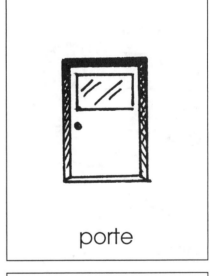

porte

chaise

classe

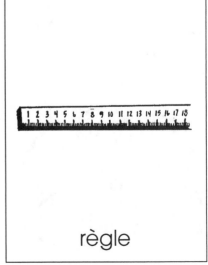

règle

vres

pi

lon

ble

ci

chai

gle

bal

ta

se

seau

rè

tre

li

clas

se

pu

te

por

Fiche **12**

D'autres cornets
et d'autres boules

1. Avec toutes les boules de crème glacée, invente le plus de mots possible.

   Écris les mots dans ton cahier ou sur une feuille.

2. Découpe les boules de crème glacée de la fiche 14.

3. Illustre des mots sur des cartes de la fiche 13.

4. Écris le mot sous le dessin correspondant.

5. Fais des boules de crème glacée avec les syllabes de chaque mot.

6. Place les boules de crème glacée et tes petites cartes dans une enveloppe sur laquelle tu écriras un numéro.

Tes camarades pourront refaire d'autres mots avec tes boules de crème glacée, et donc d'autres cornets.

SCÉNARIO 8

Ma maison

TÂCHES À RÉALISER

1. Les élèves auront à décrire leur maison et, par la suite, à dessiner la maison inventée par l'enseignante (fiche 2).
2. Les élèves inventeront ensuite un modèle de maison bizarre et le décriront.

INTENTION

Décrire sa maison et inventer un modèle de maison bizarre. Vérifier la compréhension de la lecture par le dessin.

MATIÈRES VISÉES

Arts plastiques
Français: écriture et lecture

OBJECTIFS

Arts plastiques:
– Être capable de représenter des lieux de son entourage immédiat: sa maison.

Français:
Écriture:
– Rédiger des textes signifiants.
– Transformer des textes signifiants.

Lecture:
– Lire des textes à caractère informatif.

PRÉPARATIFS

– Écrire le nom de l'enseignante sur la fiche 1a à l'activité 2, aux numéros 1 et 2: «La maison inventée par _____» et sur la fiche 2: «La maison inventée par _____».
– Photocopier les fiches 1, 1a, 2 et 3 pour chaque élève.

SITUATION DE DÉPART

(en grand groupe)

Avec les élèves, l'enseignante fait une carte d'exploration sur tout ce qui concerne une maison. À partir de cette carte, les élèves notent les éléments importants sur lesquels il faudrait donner des précisions dans la description de leur maison.

SITUATIONS D'APPROFONDISSEMENT

(individuellement, en atelier)

1. Les élèves décrivent leur maison en se basant sur les éléments notés sur la fiche 1.
2. Les élèves dessinent la maison inventée par _____ (fiche 2) à l'aide de la fiche 1a (activité 2).

SITUATION D'ENRICHISSEMENT

(individuellement, en atelier)

Les élèves inventent une maison bizarre que les autres élèves pourront s'amuser à dessiner, et la décrivent sur la fiche 3 (à l'aide de la fiche 1a, activité 3).

SITUATION DE CONSOLIDATION

(individuellement, en atelier)

Les élèves dessinent les maisons que les élèves ont inventées et décrites en enrichissement.

Ma maison

Matériel nécessaire:

Crayon à mine
Crayons de couleur
Fiches 1, 1a, 2 et 3
Feuille ou carton

Marche à suivre:

Activité 1

Décris ta maison à partir des éléments suivants:

MA MAISON

1. Sa ou ses couleurs
2. Sa ou ses portes
3. Sa ou ses galeries
4. Sa toiture
4. Ses fenêtres
6. Sa cheminée
7. Nombre d'étages
8. Nombre de pièces
9. Son revêtement extérieur
10. Ses rideaux ou ses stores
11. Ses escaliers extérieurs et intérieurs
12. Son environnement extérieur: arbres   trottoir
asphalte   pierres
sable   pelouse
fleurs   arbustes
...
13. Son garage
14. ...

Activité 2

1. Lis le texte «La maison inventée par _____».

2. Dessine la maison inventée par _____ sur un carton ou une feuille.

3. Relis ton texte en vérifiant ton dessin.

4. Apporte des changements à ton dessin, si cela est nécessaire.

Activité 3

1. Invente une maison bizarre. Laisse aller ton imagination.

2. Fais-en une description précise, car d'autres élèves auront à dessiner cette maison.

3. Écris ta description sur la fiche 3.

La maison inventée

Fiche **2**

par _____

Ma maison est très spéciale. C'est une maison rose en forme de cœur. Elle a deux étages. Elle a deux fenêtres, une en forme de triangle, l'autre rectangulaire.

Ses rideaux sont verts. Un clown se cache derrière les rideaux. Il y a une longue galerie devant la maison.

Sur la galerie, il y a un lit dans lequel dort un chat blanc. Un chien noir mange un os sous le lit.

Ma maison a deux cheminées. Celle de droite dégage une fumée jaune; de l'autre sortent des becs de toutes les couleurs. Sur le toit, un cupidon lance des mots d'amour à tous les habitants du village.

Tu peux maintenant dessiner ma maison.

La
maison
inventée

Fiche **3**

par _____

SCÉNARIO 9

Je connais mon corps

Tâches à réaliser

1. Les élèves compléteront le schéma d'un personnage et associeront chacune des parties du corps à des objets servant à chacune d'elles en plaçant les mots et les objets aux bons endroits.
2. Les élèves auront ensuite à compléter un texte en y collant des illustrations.

Intention

Mieux connaître les parties du corps et prendre conscience de l'utilité de certains objets pour bien en prendre soin.

Matières visées

Français: lecture
Formation personnelle et sociale
Sciences de la nature

Objectifs

Français:

Lecture:
- Reconnaître les mots usuels.
- Lire des textes à caractère incitatif.

Formation personnelle et sociale:
- Situer les parties du corps sur une planche anatomique complète.
- Dire en ses propres termes ce que signifie le mot «hygiène».
- Indiquer les habitudes hygiéniques pratiquées régulièrement.
- Indiquer d'autres habitudes hygiéniques.
- Nommer les parties du corps en utilisant les noms appropriés.

Sciences de la nature:
- Identifier les principales parties de son corps.

Préparatifs

- Photocopier les fiches 1 à 14 pour chaque élève.
- Voir à apporter et à faire apporter par les élèves des objets servant à prendre soin de son corps.

Situations de départ

(en grand groupe)

1. L'enseignante réfléchit avec les élèves sur ce dont le corps a besoin pour vivre en santé.
2. Les élèves miment tous les actes posés pour prendre soin de leur corps.
3. Les élèves trouvent des objets nécessaires au soin du corps: savon, peigne… Les élèves pourront apporter de la maison un ou plusieurs objets aidant à la propreté du corps. L'enseignante pourra aussi en apporter parmi ceux qui sont plus rares (soie dentaire, gant de crin…).
4. L'enseignante voit avec les élèves l'utilité de chacun de ces objets pour l'associer à la partie du corps qui en a besoin.

Situations d'approfondissement

(individuellement, en atelier)

Matériel nécessaire:
Schéma (sur un carton ou une feuille) d'un personnage dont les parties du corps sont marquées de leur nom (fiche 5 ou fiche 6)

Fiches 1 à 10

Tâches à réaliser:
1. L'élève réalise l'activité des fiches 1 à 10.
2. L'enseignante fait l'objectivation en grand groupe.

Situations d'évaluation

(individuellement ou en grand groupe)

Les élèves de 1re année réalisent le travail de la fiche 11 et les élèves de 2e et de 3e année, le travail de la fiche 12.

Les élèves réalisent le travail des fiches 13 et 13a. Les élèves de 1re année peuvent faire seulement les numéros 1 à 8.

SCÉNARIO 9 (suite)

SITUATION DE CONSOLIDATION
(en équipe de 2, en atelier)

1. Les élèves écrivent le nom des parties du corps sur de petits cartons.
2. Les élèves fixent les noms aux bons endroits sur le corps de leur partenaire, à tour de rôle.

SITUATION D'ENRICHISSEMENT (FICHE 14)
(individuellement, en atelier)

Dans des cahiers publicitaires de marchés d'alimentation ou de produits pharmaceutiques, les élèves découpent des objets qui aident au soin du corps.

Les élèves collent ces objets sur une feuille ou un carton et écrivent à côté de l'objet le nom de la partie du corps à laquelle l'objet est utile.

Je connais mon corps

Matériel nécessaire:

Feuille ou carton illustrant
un personnage dont les
parties du corps sont marquées
de leur nom
(fiche 5 ou 6)
Fiches 2, 3 et 4
Ciseaux
Colle

Marche à suivre:

1. Découpe le personnage.

2. Assemble le personnage en en collant les parties.

3. Colorie le personnage.

4. Découpe les mots.

5. Place les mots sur ou à côté des parties du corps correspondantes. Aide-toi des fiches 5 ou 6, si tu le veux.

6. Vérifie tes réponses.

7. Colle les mots.

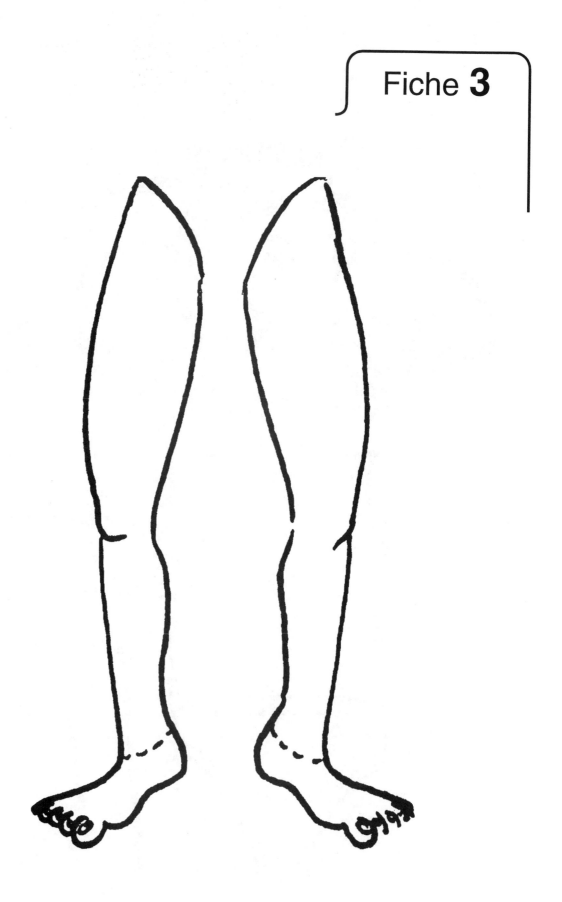

cheveux	tête	cils	yeux
épaule	bouche	sourcil	front
coude	menton	bras	nez
poignet	ventre	lèvre	joue
cuisse	cheville	main	genou
cou	oreille	orteil	cœur
talon	ongle	tronc	mollet
pied	dent		

Fiche d'aide pour 1ʳᵉ année

tête

cheveux

œil

bouche

pouce

oreille

main

nez

bras

doigts

pied

jambe

orteils

Fiche d'aide pour
2e et 3e année

cheveux tête œil front cils

sourcil

oreille

épaule

lèvre joue

cou

nez cœur

coude

main poignet

bouche tronc

cuisse

bras mollet

dent genou

menton pied

talon

ventre

ongle orteil cheville

Je suis bien

Matériel nécessaire:

Ciseaux
Colle
Crayon

Marche à suivre:

Activité 1

Relie les illustrations aux bons mots (fiche 8).

Exemple: relier le mot «dents» à l'illustration du dentifrice

Activité 2

1. Découpe les illustrations.
2. Lis les phrases.
3. Observe les illustrations.
4. Place les illustrations aux bons endroits sans les coller.
5. Relis les phrases pour vérifier le sens.
6. Colle les illustrations.
7. Écris le bon mot sous chaque illustration.
8. Colorie les illustrations, si tu le désires.

Je suis bien

Activité 1

dents

yeux

pieds

tête

cheveux

cou

nez

mains

bouche

Je suis bien

Activité 2

1. Avant de manger, je me lave
    toujours les _____.

2. Après avoir mangé, je me
    brosse les _____.

3. Je peigne souvent
    mes _____.

4. Je prends mon _____
    très souvent.

5. Je coupe mes _____
    régulièrement.

6. Je me couche dans mon
    _____ assez tôt.

Activité 2 (suite)

7. Je porte des _____ propres.

8. Je mange des _____.

9. Chaque matin, je me lave la _____.

10. Je nettoie mon _____ avec un mouchoir.

11. Je m'essuie avec une _____.

12. Je bois du _____ et du _____.

Je suis bien

Activité 2

fruits	lit	dents	figure	mains
cheveux	serviette	bain	jus	
ongles	lait	vêtements	nez	

Écris les parties du corps aux bons endroits.

œil, nez, oreille, pied, main, bras, tête,
cheveux, bouche, jambe, pouce, orteils, doigts

Relie chaque mot au bon endroit sur le pantin.

tête   cheveux

nez   oreille

bouche   joue

lèvre   front

œil   menton

sourcil   poignet

cils

cou   coude

épaule   ventre

bras   cuisse

tronc   genou

main   mollet

            cheville

ongle

orteil   talon

174

Écris le nom de la partie du corps pour laquelle l'objet est utilisé.

1.    _____

2.    _____

3.    _____

4.    _____

5.    _____

6.   _____

7.

8.

9.

10.

11.

12.

Je magasine...

Matériel nécessaire:

Cahiers publicitaires de marchés
d'alimentation ou de produits
pharmaceutiques
Crayon
Ciseaux
Colle
Carton ou feuille

Marche à suivre:

1. Choisis dans des cahiers publicitaires des illustrations d'objets ou de produits utiles au soin du corps.

2. Découpe ces illustrations.

3. Colle ces illustrations sur une feuille ou un carton.

4. Écris à côté de chaque illustration le nom de la partie du corps à laquelle l'objet ou le produit illustré est utile.

5. Dessine d'autres objets et refais la même démarche, si tu as le temps.

SCÉNARIO 10

Les éléphants

Tâches à réaliser

1. Les élèves auront à rédiger des phrases.
2. Les élèves placeront chacun des mots de leurs phrases sur un éléphant préalablement découpé.
3. Les éléphants d'une même phrase seront placés dans une enveloppe.
4. Les élèves auront à reconstituer les phrases composées par les autres élèves de la classe.

Intention

Rédiger des phrases pour ensuite développer l'habileté à reconstituer ces phrases en faisant une chaîne avec les éléphants.

Matières visées

Français: écriture, lecture
Arts plastiques
Sciences humaines

Objectifs

Français:

Écriture:
– Rédiger des phrases signifiantes.
– Utiliser la majuscule et le point.
– Ponctuation: Reconnaître le rôle de la majuscule en début de phrase, du point et des virgules comme repères servant à former des ensembles signifiants dans un texte.

Lecture:
– Ordre des mots: Pratiquer l'ordre spatial des mots dans des phrases à structure simple.
– Lire des textes à caractère incitatif.

Arts plastiques:
– Développer la motricité fine (découpage).

Sciences humaines:
– Associer des activités et des événements à divers moments du cycle quotidien.

Préparatifs

Photocopier les éléphants sur des cartons (fiche 2) et la fiche 1 pour chaque élève.

Situation de départ

(en grand groupe)

1. Chaque élève découpe une illustration dans un magazine.
2. Les élèves rédigent une phrase expliquant leur illustration et l'écrivent sur une bande de carton de 7 cm sur 60 cm environ.
3. Les élèves découpent leur phrase en mots et placent les mots et l'illustration dans une enveloppe.
4. L'enseignante numérote les enveloppes.

Situation d'approfondissement en français (individuellement, en atelier)

Les élèves reconstituent les phrases rédigées par les autres élèves de la classe.

Situation d'enrichissement en français (individuellement, en atelier)

1. Les élèves découpent des éléphants.
2. Les élèves rédigent des phrases et écrivent chacun des mots de leurs phrases sur un éléphant.
3. Les élèves placent ensuite les éléphants de chacune des phrases dans une enveloppe.

Situation d'évaluation en français (individuellement, en atelier)

Les élèves reconstituent les phrases rédigées par les autres élèves de la classe et les écrivent dans leur cahier ou sur une feuille.

Exploitation en sciences humaines

Les élèves peuvent rédiger leurs phrases en plaçant dans chacune d'elles l'un ou l'autre des mots suivants: le matin, le midi, avant-midi, après-midi, la nuit.

Les éléphants

Matériel nécessaire:

Feuille cartonnée avec des
dessins d'éléphants (fiche 2)
Ciseaux
Enveloppe ou petit sac de
plastique vide

Marche à suivre:

1. Découpe des éléphants.

2. Rédige dix phrases.

3. Corrige bien tes phrases. Va chercher de l'aide, si tu
   en as besoin.

4. N'oublie pas de mettre une majuscule et un point
   dans tes phrases.

5. Choisis une phrase parmi les dix que tu as rédigées.

6. Écris chacun des mots de ta phrase sur un éléphant.

7. Place tous ces éléphants dans une enveloppe ou un
   petit sac.

8. Fais de même pour chacune de tes phrases.

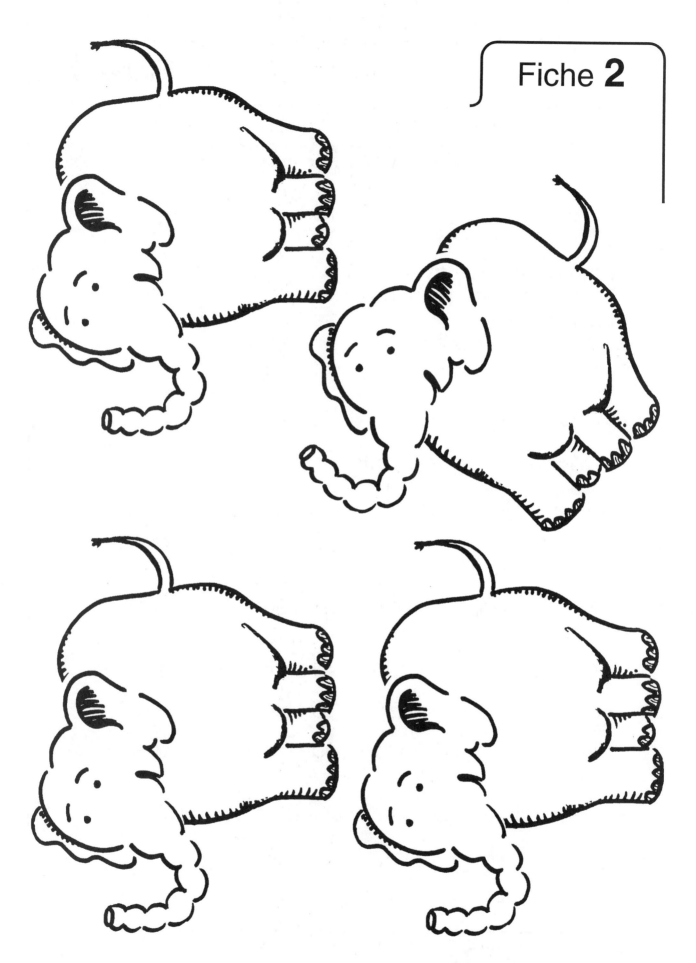

Feuille reproductible. © 1995 Les Éditions de la Chenelière inc.

SCÉNARIO 11

Mon argent (jeu)

Tâche à réaliser

Les élèves auront à placer dans leur tirelire le bon montant d'argent. Ces montants sont inscrits sur de petites cartes.

Intention

Ramasser le bon montant d'argent avant les autres.

Matières visées

Sciences humaines
Mathématique
Français: lecture

Objectifs

Sciences humaines:
– Identifier des pièces de monnaie et du papier monnaie dont la valeur varie entre 1 cent et 10 dollars.

Mathématique:
– Grouper et regrouper des objets en base 10.
– Associer un nombre à un ensemble d'éléments regroupés selon une base donnée.

Français:

Lecture:
– Lire des textes à caractère incitatif.

Préparatifs

– Photocopier sur des cartons les tirelires de la fiche 3, quatre copies par équipe.
– Préparer un cube avec les pièces de monnaie (fiche 2).
– Prévoir de l'argent scolaire.
– Photocopier sur des cartons les cartes représentant les montants d'argent (fiche 4).

Situation de départ

(en grand groupe)

L'enseignante révise avec les élèves les notions de dizaine et d'unité.

Elle manipule avec les élèves des pièces de monnaie en vue de les calculer.

Situation d'approfondissement

(en équipe, en atelier)

Jeu: Mon argent (fiches 1 à 4)

Situation d'enrichissement

(individuellement, en atelier)

Les élèves préparent d'autres cartons avec des valeurs différentes (fiche 5).

Situation de consolidation

(en équipe, en atelier)

Les élèves rejouent au jeu en utilisant les nouvelles cartes préparées par les élèves en enrichissement.

Mon argent

Nombre de joueurs ou de joueuses: 2 à 4

Matériel nécessaire:

Un carton de la tirelire pour chaque joueur et joueuse
Petites cartes représentant les montants d'argent
Argent scolaire (monnaie seulement)
Cube représentant les pièces de monnaie

Marche à suivre:

1. Chaque joueur ou joueuse place devant lui ou devant elle une tirelire.

2. Chaque joueur ou joueuse choisit une carte représentant un montant d'argent et la place sur sa tirelire.

3. À tour de rôle, les joueurs ou joueuses lancent le dé et mettent dans leur tirelire la pièce choisie au hasard par le cube s'ils pensent avoir besoin de cette pièce de monnaie pour obtenir le montant inscrit sur leur carte.

4. L'élève qui est le premier ou la première à avoir dans sa tirelire le montant précis gagne la partie.

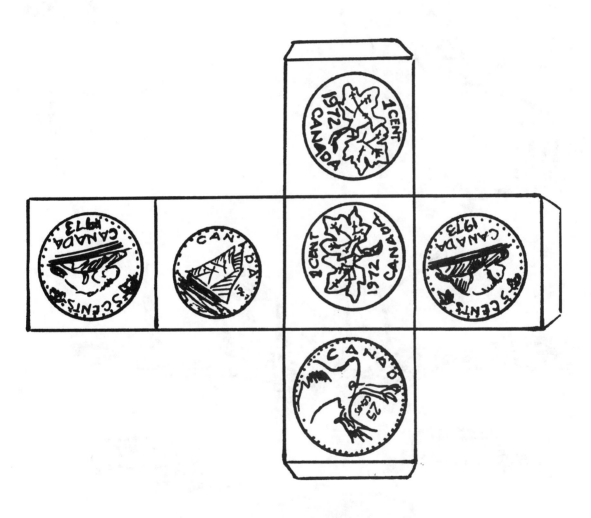

0,52	0,36	0,44	0,29	0,75
0,58	0,64	0,85	0,35	0,54
0,71	0,48	0,68	0,36	0,19
0,83	0,72	0,59	0,61	0,32
0,41	0,76	0,18	0,28	0,40
0,50	0,60	0,70	0,80	0,90

Feuille reproductible. © 1995 Les Éditions de la Chenelière inc.

SCÉNARIO 12

Les solides

TÂCHE À RÉALISER

Les élèves auront à construire des solides avec des pailles et des boules de pâte à modeler et à noter le nombre de sommets, d'arêtes et de faces sur chacun d'eux.

INTENTION

Explorer les solides. L'activité servira de point de départ à une situation d'approfondissement en grand groupe pour dégager les caractéristiques des solides.

MATIÈRES VISÉES

Mathématique: géométrie, mesures
Français: lecture

OBJECTIFS

Mathématique:
- Décrire des solides d'après leurs faces, leurs sommets et leurs arêtes.
- Construire des solides avec le matériel approprié.
- Estimer et mesurer la longueur d'un objet au centimètre près.

Français:
Lecture:
- Lire des textes à caractère incitatif.

PRÉPARATIFS

- Se procurer de la pâte à modeler et des pailles.
- Photocopier les fiches 1, 2, 3 et 5 pour chaque élève.
- Photocopier quelques copies du corrigé (fiche 4).

Cette activité se fait très bien en atelier. Le matériel de l'atelier peut être placé en permanence sur une table à l'arrière de la classe. Les élèves peuvent y travailler par groupe de 4.

SITUATION DE DÉPART

(individuellement ou en équipe, en atelier)

Les élèves fabriquent des solides à l'aide des fiches 1, 2, 3 et 5.

SITUATION D'APPROFONDISSEMENT

(en grand groupe)

À partir des solides fabriqués par les élèves, l'enseignante fait dégager par les élèves les caractéristiques de chacun d'eux et précise le sens de «sommet», de «face» et d'«arête».

L'enseignante nomme et fait nommer par les élèves le nom de chacun de ces solides.

SITUATION D'ENRICHISSEMENT

(individuellement, en atelier)

Les élèves inventent d'autres modèles de solides et réalisent le travail de la fiche 5.

Les solides

Matériel nécessaire:

Pailles
Pâte à modeler
Fiches 1, 2, 3 et 5

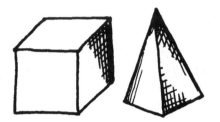

Marche à suivre:

1. Coupe 12 pailles de 6 cm.

   Coupe 12 pailles de 9 cm.

   Coupe 12 pailles de 12 cm.

   Tu pourras en couper d'autres, si tu en manques.

2. Roule de petites boules de pâte à modeler.

3. À l'aide des pailles et des boules de pâte à modeler, construis les solides illustrés sur la fiche 3.

4. Lis les instructions données sur la feuille d'aide (fiche 2).

5. Remplis le tableau de la fiche 3.

6. Vérifie ton travail avec le corrigé (fiche 4).

Feuille d'aide

Les boules de pâte à modeler sont des sommets.

Les pailles sont des arêtes.

Les surfaces ou les espaces entre les arêtes sont des faces. Ce solide a 6 faces.

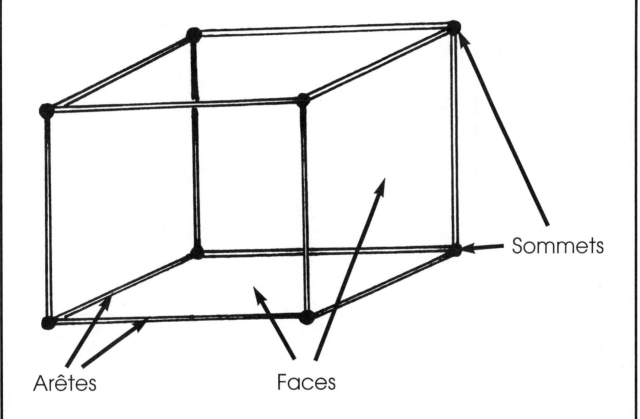

Sommets

Arêtes

Faces

Les solides

	Arêtes	Sommets	Faces

Corrigé – Les solides

	Arêtes	Sommets	Faces
	9	6	5
	6	4	4
	12	8	6
	8	5	5
	12	8	6

Invente deux autres modèles.

Fais le dessins:

	Arêtes	Sommets	Faces

SCÉNARIO 13

La valeur de la monnaie

Classe: 2e année

TÂCHE À RÉALISER

Les élèves joueront au jeu «La valeur de la monnaie» pour apprendre la valeur de chacune des pièces de monnaie.

INTENTION

Accumuler le plus de dollars à la fin de la partie. Se familiariser avec l'échange de monnaie.

MATIÈRES VISÉES

Sciences humaines
Mathématique
Français: lecture

OBJECTIFS

Sciences humaines:
– Identifier les pièces de monnaie et le papier-monnaie dont la valeur varie entre 1 cent et 10 dollars.

Mathématique:
– Grouper et regrouper des objets en base 10.
– Associer un nombre à un ensemble d'éléments regroupés selon une base donnée.

Français:
Lecture:
– Lire des textes à caractère incitatif.

PRÉPARATIFS

– Photocopier sur des cartons la feuille du poste d'échange pour chaque joueur ou joueuse (fiche 3).
– Préparer les cubes (fiche 2 à photocopier sur du carton).
– Prévoir de l'argent scolaire.
– Photocopier la fiche 1 pour chaque élève.

SITUATION DE DÉPART

(en grand groupe)

L'enseignante manipule de la monnaie avec les élèves.
Les élèves font quelques exercices de calcul de la monnaie en se servant des notions de dizaine et d'unité.

SITUATION D'APPROFONDISSEMENT

(en équipe de 2, de 3 ou de 4, en atelier)

Les élèves jouent au jeu «La valeur de la monnaie» (fiches 1, 2 et 3).

SITUATION D'ENRICHISSEMENT

(en équipe, en atelier)

Les élèves peuvent jouer au jeu avec plusieurs cubes. Le degré de difficulté est donc augmenté.

La valeur de la monnaie

Matériel nécessaire:

Cube représentant les pièces de monnaie
Carton du poste d'échange, un par élève
Monnaie scolaire
Nombre de joueurs ou de joueuses: 2 à 4

Marche à suivre:

1. Chaque joueur ou joueuse a au départ une pièce de monnaie, sauf le dollar.

   Le reste de la monnaie est gardé en banque.

2. À tour de rôle, les joueurs ou joueuses lancent le cube, prennent dans la banque la pièce de monnaie représentée par le dé et la placent au bon endroit sur leur poste d'échange.

3. Les joueurs et joueuses échangent de l'argent chaque fois qu'il est possible de le faire.

4. L'élève qui a en main 1,00 $ avant les autres ou qui a le plus de dollars à la fin de la partie gagne.

Variante:

Le jeu peut se jouer aussi avec deux cubes. Le joueur ou la joueuse prend alors deux pièces de monnaie à la fois.

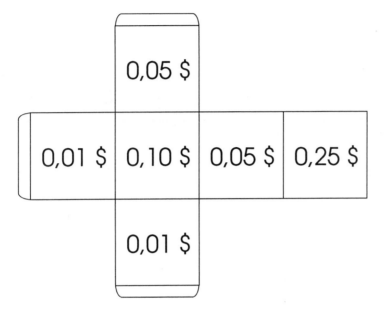

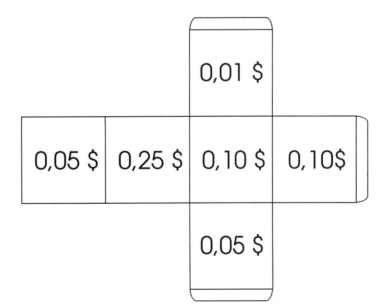

Poste d'échange

1,00 $	0,25 $	0,10 $	0,05 $	0,01 $

SCÉNARIO 14

Chandails et pantalons

Classes: 2e et 3e année

TÂCHES À RÉALISER

Les élèves auront à colorier des chandails et des pantalons de différentes couleurs et à faire le plus d'ensembles possible avec ces chandails et ces pantalons.

INTENTION

Faire le plus d'ensembles possible avec des pantalons et des chandails de différentes couleurs.

MATIÈRE VISÉE

Mathématique

OBJECTIFS

Mathématique:
- Élaborer et appliquer une démarche permettant de résoudre des problèmes comportant une ou plusieurs étapes.
- Rechercher ou observer des «régularités» dans des suites de nombres ou dans des suites d'opérations.

PRÉPARATIFS

- Photocopier deux copies de la fiche 2 et plusieurs copies de la fiche 3 pour chaque élève.
- Photocopier la marche à suivre (fiche 1) et les fiches 4 et 5 pour chaque élève.

SITUATION DE DÉPART

(en grand groupe)

L'enseignante demande à trois élèves d'apporter une paire de mitaines de la maison.

L'enseignante forme avec les élèves différents ensembles de mitaines avec deux paires, puis avec trois paires de mitaines. Combien d'ensembles différents peut-on former avec deux paires et trois paires de mitaines?

Ensemble, l'enseignante et les élèves essaient de trouver une démarche pour se faciliter la tâche.

SITUATION D'APPROFONDISSEMENT

(individuellement, en atelier)

Les élèves réalisent la tâche de la fiche 1.

L'enseignante fait un retour sur l'activité pour les aider à dégager une loi.

SITUATION D'ENRICHISSEMENT

(individuellement, en atelier)

Les élèves inventent une nouvelle situation où le même principe peut être appliqué et vérifient si la loi peut toujours s'appliquer.

Les élèves font ensuite une liste de différentes situations auxquelles peut s'appliquer cette loi.

Chandails et pantalons

Matériel nécessaire:

Crayons de couleur
Feuilles illustrant les chandails
et les pantalons (fiches 2 et 3)
Crayon à mine

Marche à suivre:

1. Colorie les chandails de différentes couleurs (fiche 2).

2. Colorie les pantalons de différentes couleurs (fiche 2).

3. Découpe les chandails.

4. Découpe les pantalons.

5. Amuse-toi à faire le plus d'ensembles possible.

6. Sers-toi de la fiche 3 pour t'aider à voir les ensembles, si tu le veux.

7. Remplis les fiches 4 et 5.

8. Essaie de dégager une loi.

Chandails et pantalons

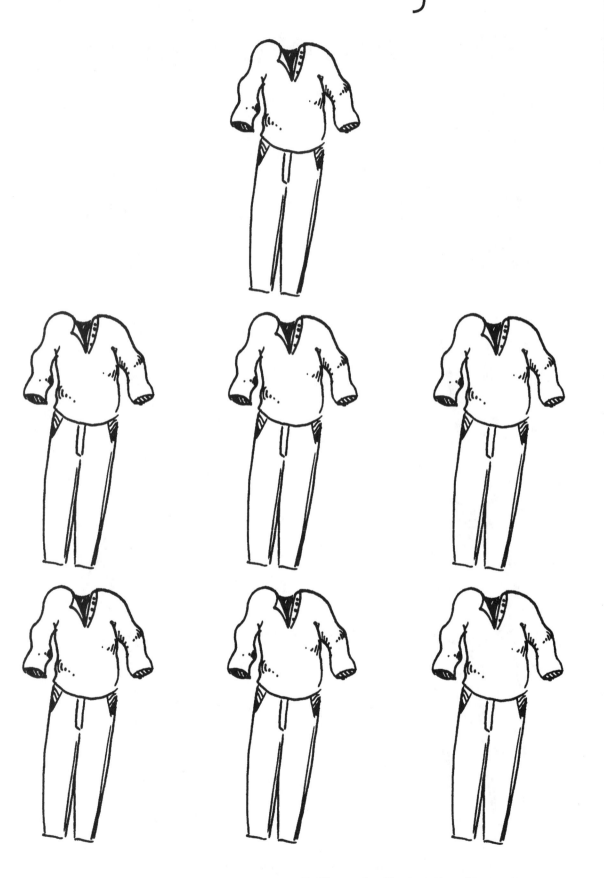

2 chandails 2 pantalons = _____ ensembles

2 chandails 3 pantalons = _____ ensembles

2 chandails 4 pantalons = _____ ensembles

2 chandails 5 pantalons = _____ ensembles

2 chandails 6 pantalons = _____ ensembles

2 chandails 7 pantalons = _____ ensembles

2 chandails 8 pantalons = _____ ensembles

3 chandails 2 pantalons = _____ ensembles

3 chandails 3 pantalons = _____ ensembles

3 chandails 4 pantalons = _____ ensembles

3 chandails 5 pantalons = _____ ensembles

3 chandails 6 pantalons = _____ ensembles

3 chandails 7 pantalons = _____ ensembles

3 chandails 8 pantalons = _____ ensembles

4 chandails 2 pantalons = _____ ensembles

4 chandails 3 pantalons = _____ ensembles

4 chandails 4 pantalons = _____ ensembles

4 chandails 5 pantalons = _____ ensembles

4 chandails 6 pantalons = _____ ensembles

4 chandails 7 pantalons = _____ ensembles

4 chandails 8 pantalons = _____ ensembles

5 chandails 2 pantalons = _____ ensembles

5 chandails 3 pantalons = _____ ensembles

5 chandails 4 pantalons = _____ ensembles

5 chandails 5 pantalons = _____ ensembles

5 chandails 6 pantalons = _____ ensembles

5 chandails 7 pantalons = _____ ensembles

5 chandails 8 pantalons = _____ ensembles

6 chandails 2 pantalons = _____ ensembles

6 chandails 3 pantalons = _____ ensembles

6 chandails 4 pantalons = _____ ensembles

6 chandails 5 pantalons = _____ ensembles

6 chandails 6 pantalons = _____ ensembles

6 chandails 7 pantalons = _____ ensembles

6 chandails 8 pantalons = _____ ensembles

Écris la loi:

_____

_____

_____

SCÉNARIO 15

Bingo des additions

TÂCHE À RÉALISER

Les élèves auront à jouer au bingo.

INTENTION

Apprendre à mieux maîtriser ses complémentaires tout en voulant faire BINGO.

MATIÈRES VISÉES

Mathématique
Français: lecture

OBJECTIFS

Mathématique:
– Additionner mentalement des nombres dont la somme est inférieure ou égale à 18.

Français:
Lecture:
– Lire des textes à caractère incitatif.

PRÉPARATIFS

– Photocopier la carte du meneur ou de la meneuse (fiche 2) et les cartes des joueurs et des joueuses sur des cartons (fiches 3, 4 et 5).
– Photocopier sur un carton la fiche 6 comportant les numéros du jeu (B1, N40…).
– Faire découper par les élèves les petits cartons de la fiche 6 et les placer dans une petite boîte.
– Photocopier la fiche 1 pour chaque élève.

SITUATIONS DE DÉPART (en grand groupe, individuellement ou en équipe, en atelier)

Les élèves manipulent beaucoup les nombres avec du matériel concret et étudient leurs complémentaires.

SITUATION DE CONSOLIDATION

(en équipe, en grand groupe, en atelier)

Les élèves jouent au bingo des additions (fiches 1 à 6).

SITUATIONS D'ENRICHISSEMENT

(en équipe de 2, en atelier)

1. Les élèves peuvent jouer au tic-tac-to avec des complémentaires plus difficiles (scénario 33).
2. Les élèves choisissent des opérations et les écrivent sur de petits cartons.
3. Les élèves peuvent aussi préparer un autre jeu de bingo ou d'autres cartes avec des opérations différentes.

Bingo des additions

But du jeu: Faire BINGO.
Nombre de joueurs ou de joueuses: 3 à 5

Matériel nécessaire:
Jetons
Carte pour chaque élève (fiches 3, 4 et 5)
Carte du meneur ou de la meneuse de jeu (fiche 2)
Petits jetons annonçant chacune des cases
Ex.: B1, B2, G43, O69...

Marche à suivre:

1. L'élève qui mènera le jeu prend la fiche 2.

2. Chaque joueur ou joueuse se choisit une carte.

3. Le meneur ou la meneuse de jeu tire un petit jeton. Ex.: G43

4. Il ou elle ne dit pas le nombre indiqué (ici, G43), mais l'opération donnée vis-à-vis de ce nombre sur sa fiche (ici, G9 + 1).

5. Chaque joueur et joueuse vérifie dans la rangée indiquée par la lettre donnée si le résultat de l'opération apparaît (ce serait 10, dans l'exemple) et, si c'est le cas, place un jeton sur cette case.

6. Le jeu se continue ainsi jusqu'à ce qu'un joueur ou une joueuse fasse BINGO.

7. Pour faire la vérification, le joueur ou la joueuse donne à l'élève qui mène le jeu la lettre et le petit chiffre du carreau correspondant: Ex.: G43.

B I N G O

1. $9 + 4$	**15.** $9 + 3$	**29.** $9 + 2$	**43.** $9 + 1$	**57.** $5 + 1$
2. $8 + 4$	**16.** $8 + 3$	**30.** $8 + 2$	**44.** $8 + 1$	**58.** $5 + 2$
3. $7 + 4$	**17.** $7 + 3$	**31.** $7 + 2$	**45.** $7 + 1$	**59.** $5 + 3$
4. $6 + 4$	**18.** $6 + 3$	**32.** $6 + 2$	**46.** $6 + 1$	**60.** $5 + 4$
5. $5 + 4$	**19.** $5 + 3$	**33.** $5 + 2$	**47.** $5 + 1$	**61.** $5 + 5$
6. $14 + 4$	**20.** $14 + 3$	**34.** $4 + 2$	**48.** $4 + 1$	**62.** $5 + 6$
7. $13 + 4$	**21.** $4 + 3$	**35.** $3 + 2$	**49.** $3 + 1$	**63.** $5 + 7$
8. $12 - 4$	**22.** $3 + 3$	**36.** $1 + 2$	**50.** $2 + 1$	**64.** $5 + 8$
9. $11 - 4$	**23.** $2 + 3$	**37.** $2 + 2$	**51.** $1 + 1$	**65.** $5 + 9$
10. $10 - 4$	**24.** $1 + 3$	**38.** $10 + 2$	**52.** $10 + 1$	**66.** $5 + 10$
11. $9 - 4$	**25.** $10 + 3$	**39.** $11 + 2$	**53.** $11 + 1$	**67.** $5 + 11$
12. $8 - 4$	**26.** $11 + 3$	**40.** $12 + 2$	**54.** $12 + 1$	**68.** $5 + 12$
13. $7 - 4$	**27.** $12 + 3$	**41.** $13 + 2$	**55.** $13 + 1$	**69.** $5 + 13$
14. $6 - 4$	**28.** $13 + 3$	**42.** $14 + 2$	**56.** $14 + 1$	**70.** $5 + 14$

BINGO [1]

B	I	N	G	O
11 ⁄ 3	17 ⁄ 20	8 ⁄ 32	3 ⁄ 50	6 ⁄ 57
4 ⁄ 12	11 ⁄ 16	13 ⁄ 39	5 ⁄ 48	14 ⁄ 65
17 ⁄ 7	4 ⁄ 24	X	14 ⁄ 55	9 ⁄ 60
9 ⁄ 5	6 ⁄ 22	9 ⁄ 31	12 ⁄ 53	11 ⁄ 62
6 ⁄ 10	9 ⁄ 18	5 ⁄ 35	9 ⁄ 44	17 ⁄ 68

BINGO [2]

B	I	N	G	O
13 ⁄ 1	15 ⁄ 27	6 ⁄ 34	6 ⁄ 47	8 ⁄ 59
12 ⁄ 2	10 ⁄ 17	10 ⁄ 30	8 ⁄ 45	19 ⁄ 70
11 ⁄ 3	8 ⁄ 19	X	15 ⁄ 56	10 ⁄ 61
7 ⁄ 9	13 ⁄ 25	8 ⁄ 32	7 ⁄ 46	16 ⁄ 67
3 ⁄ 13	12 ⁄ 15	12 ⁄ 38	12 ⁄ 53	13 ⁄ 64

B	I	N	G	O³
8 8	12 15	10 30	11 52	7 58
13 1	5 23	7 33	9 44	10 61
9 5	9 18	X	5 48	15 66
2 14	7 21	3 36	3 50	19 70
18 6	14 26	9 31	7 46	12 63

B	I	N	G	O⁴
12 2	11 16	11 29	10 43	9 60
17 7	6 22	6 34	4 49	11 62
5 11	16 28	X	15 56	13 64
2 14	17 20	15 41	8 45	18 69
10 4	4 24	7 33	14 55	7 58

B	I	N	G	O [5]
10 4	10 17	5 35	2 51	12 63
4 12	7 21	4 37	10 43	6 57
18 6	8 19	X	6 47	18 69
6 10	16 28	11 29	13 54	8 59
3 13	5 23	14 40	4 49	14 65

B 1	**B** 2	**B** 3	**B** 4	**B** 5	**B** 6	**B** 7	**B** 8	**B** 9
B 10	**B** 11	**B** 12	**B** 13	**B** 14				
I 15	**I** 16	**I** 17	**I** 18	**I** 19	**I** 20	**I** 21	**I** 22	**I** 23
I 24	**I** 25	**I** 26	**I** 27	**I** 28				
N 29	**N** 30	**N** 31	**N** 32	**N** 33	**N** 34	**N** 35	**N** 36	**N** 37
N 38	**N** 39	**N** 40	**N** 41	**N** 42				
G 43	**G** 44	**G** 45	**G** 46	**G** 47	**G** 48	**G** 49	**G** 50	**G** 51
G 52	**G** 53	**G** 54	**G** 55	**G** 56				
O 57	**O** 58	**O** 59	**O** 60	**O** 61	**O** 62	**O** 63	**O** 64	**O** 65
O 66	**O** 67	**O** 68	**O** 69	**O** 70				

Trente-quatre scénarios d'apprentissage

SCÉNARIO 16

Jogging

TÂCHE À RÉALISER

Les élèves auront à jouer au jogging, jeu bâti sur le même principe que le jeu de bingo.

INTENTION

Se familiariser avec les nombres tout en voulant faire BINGO.

MATIÈRES VISÉES

Mathématique
Français: lecture

OBJECTIFS

Mathématique:
- Reconnaître le nombre comme l'une des propriétés d'un ensemble d'éléments.
- Trouver une propriété qui soit commune à tous les éléments d'un ensemble.
- Compléter une suite.
- Se familiariser avec les caractéristiques des objets en base 10.
- Grouper et regrouper des objets en base 10.
- Associer un nombre à un ensemble d'éléments regroupés selon un ensemble donné.
- Composer et décomposer un nombre représentant un ensemble d'éléments regroupés en base 10.
- Ordonner un ensemble de nombres inférieurs à 1000.
- Trouver un nombre qui vient immédiatement avant ou immédiatement après un nombre ou qui se situe entre deux nombres.
- Se familiariser avec le sens des quatre opérations sur les nombres naturels.
- Ajouter ou retrancher des éléments à un ensemble.

Français:
Lecture:
- Lire des textes à caractère incitatif.

PRÉPARATIFS

- Photocopier les grandes cartes (réponses) sur des cartons (fiches 2 à 6).
- Photocopier les petites cartes (consignes) sur des cartons d'une couleur différente et les découper (fiches 7 à 11).
- Préparer des jetons.
- Photocopier les fiches 1 et 1a pour chaque élève.

SITUATION DE DÉPART
(en grand groupe ou individuellement, en atelier)

L'enseignante présente le jeu et s'assure que les élèves le comprennent (fiches 1 et 1a).

Elle fait ensuite un bref retour sur les notions vues dans le jeu.

SITUATION D'APPROFONDISSEMENT
(en équipe ou en grand groupe, en atelier)

Les élèves jouent au jeu de jogging.

SITUATION D'ENRICHISSEMENT
(individuellement, en atelier)

Les élèves inventent d'autres questions et bâtissent un jeu nouveau que les autres élèves pourront utiliser en consolidation. Il leur est possible de se servir des fiches 12 et 13.

SITUATION DE CONSOLIDATION
(en équipe, en atelier)

Les élèves révisent les notions et rejouent au jeu principal ou au jeu bâti par les élèves en enrichissement.

Jogging

Nombre de joueurs ou de joueuses: 3 à 16

Matériel nécessaire:

Grandes cartes
Petites cartes
Jetons

Marche à suivre (comme au bingo):

1. Chaque joueur ou joueuse se choisit une grande carte.

2. Le meneur ou la meneuse de jeu ne peut pas jouer.

3. Les petites cartes sont placées dans une boîte ou en paquet, face contre table, devant le meneur ou la meneuse de jeu.

4. Le meneur ou la meneuse de jeu tire une petite carte et lit la consigne en précisant à quelle forme géométrique est associée la réponse.

5. Chaque joueur ou joueuse qui possède la bonne réponse place un jeton sur sa carte.

6. Le meneur ou la meneuse de jeu continue ainsi jusqu'à ce qu'un joueur ou une joueuse fasse BINGO.

7. Après chaque tour, le meneur ou la meneuse de jeu place les petites cartes devant lui en les regroupant:
   sous le losange = nombres de 16 à 30;
   sous le cercle = nombres de 31 à 45;
   sous le rectangle = nombres de 46 à 60;
   sous le triangle = nombres de 61 à 75;
   sous le carré = nombres de 76 à 90.

8. Le joueur ou la joueuse qui fait BINGO le manifeste aux autres et donne au meneur ou à la meneuse de jeu les numéros des cases gagnantes.

9. Le meneur ou la meneuse de jeu vérifie sur les petites cartes si les numéros mentionnés ont bel et bien été choisis.

◇	○	▭	△	▢ 1
27	35	47	64	79
19	42	49	69	81
17	39	55	73	86
20	33	52	70	77
22	40	48	67	84

◇	○	▭	△	▢ 2
18	34	58	75	77
19	37	56	65	79
21	40	47	68	83
28	41	53	63	85
24	44	49	72	88

◇	○	▭	△	☐ ³
24	43	51	63	85
26	38	57	72	80
18	32	52	66	76
30	34	48	74	88
19	45	59	68	82

◇	○	▭	△	☐ ⁴
18	45	55	66	80
23	40	54	67	77
26	33	48	72	84
17	36	50	73	89
21	41	46	63	87

◇	◯	▭	△	☐ 5
30	38	46	72	79
16	33	55	62	83
27	36	60	65	87
21	43	51	67	77
23	31	58	73	90

◇	◯	▭	△	☐ 6
25	32	49	67	84
22	35	52	75	89
20	45	58	72	78
27	42	56	71	79
16	38	60	61	76

◇	○	▭	△	☐ 7
19	40	48	73	87
25	34	59	68	90
29	41	53	71	82
26	32	57	62	78
16	43	51	66	79

◇	○	▭	△	☐ 8
21	41	50	62	81
18	39	53	71	88
23	34	59	74	80
29	44	60	66	86
26	31	46	67	77

◇	○	▭	△	□ 9
16	36	53	71	88
28	44	51	63	76
24	43	46	64	80
19	37	58	69	82
30	32	56	74	86

◇	○	▭	△	□ 10
26	39	54	73	86
29	43	50	61	78
16	44	57	69	88
22	31	46	65	84
20	34	49	70	81

☐ J'ai une unité de plus que 80. <div align="right">81</div>	☐ Je représente 5 dizaines et 8 unités. <div align="right">58</div>	☐ Quel nombre est situé entre 56 et 58? <div align="right">57</div>
☐ Continue la suite: 50-60-70… <div align="right">80</div>	☐ Ajoute 3 unités à 56. <div align="right">59</div>	☐ Je suis le nombre pair situé entre 54 et 57. <div align="right">56</div>
☐ Quel nombre vient immédiatement après 85? <div align="right">86</div>	☐ Le chiffre de mes unités est un 9 et celui de mes dizaines est un 4. <div align="right">49</div>	☐ Je suis le double de 30. <div align="right">60</div>
☐ Je suis le double de 41. <div align="right">82</div>	☐ Je suis formé de 5 dizaines et de 4 unités. <div align="right">54</div>	☐ Ajoute une dizaine à 36. <div align="right">46</div>
☐ Ajoute une unité à 89. <div align="right">90</div>	☐ Ajoute une dizaine à 42. <div align="right">52</div>	☐ Je viens immédiatement après 50. <div align="right">51</div>
☐ Ajoute 3 unités à 80. <div align="right">83</div>	☐ Enlève une unité à 49. <div align="right">48</div>	☐ Je suis un nombre impair situé entre 46 et 49. <div align="right">47</div>

△ Enlève 3 dizaines à 92. 62	△ Je suis composé de 70 et 3. 73	○ Je suis le nombre qui précède 38. 37
△ J'ai une unité de moins que 68. 67	△ Continue la suite: 55-60-65-70... 75	○ Le chiffre de mes dizaines est 3 et celui de mes unités est 6. 36
△ Je suis le nombre entre 67 et 69. 68	△ Que vaut le chiffre 7 dans 75? 70	○ Je suis entre 43 et 45. 44
△ Je suis le nombre qui précède 73. 72	△ Je suis le nombre entre 73 et 75. 74	○ Je suis la somme de 30 et 15. 45
△ Je suis le nombre qui vient immédiatement avant 70. 69	△ Quel nombre vient après le nombre 70? 71	○ Je suis la moitié de 66. 33
△ Je suis le nombre situé entre 64 et 66. 65	△ Je suis le nombre qui suit 60. 61	○ Enlève 2 dizaines à 54. 34

◯ Continue la suite: 20-25-30… 35	◯ Je suis le double de 20. 40	☐ Je suis le nombre formé de 4 unités et de 8 dizaines. 84
◯ Je suis la somme de 30 et 2. 32	◯ Je suis le nombre qui suit 40. 41	☐ Ajoute 8 unités à 70. 78
◯ Je suis le nombre qui vient immédiatement après 30. 31	◯ Quel nombre est composé de 4 dizaines et de 2 unités? 42	☐ Quel est le nombre qui égale 80 et 7? 87
◯ Quel est le nombre pair situé entre 36 et 40? 38	☐ Je suis le nombre qui vient immédiatement avant 80. 79	☐ Je suis le double de 44. 88
◯ Ajoute 3 unités à 40. 43	☐ Que nombre vient entre 88 et 90? 89	☐ Je représente 7 dizaines et 6 unités. 76
◯ Je suis le nombre formé de 30 et 9. 39	☐ Je suis le nombre qui a une unité de moins que 86. 85	☐ Le chiffre de mes dizaines est 7. Le chiffre de mes unités est 8. 78

◇ J'ai une unité de moins que 20. 19	◇ Je suis le nombre qui précède 23. 22	◇ Quel nombre vient après 19? 20
◇ Quel est le nombre impair situé entre 20 et 23? 21	◇ Enlève 3 unités à 26. 23	◇ Ajoute une unité à 15. 16
◇ Je suis la somme de 10 et 7. 17	◇ Quel nombre vient avant 25? 24	◇ Je suis un nombre composé de 20 et 9. 29
◇ Quel nombre est entre 27 et 29? 28	◇ Enlève une dizaine à 35. 25	△ Quel est le nombre qui égale 60 + 6? 66
◇ Quel est le nombre qui égale 20 + 7? 27	◇ Continue la suite: 20-22-24... 26	△ Ajoute 4 unités à 60. 64
◇ Le chiffre de mes unités est un 8. Le chiffre des dizaines est un 1. 18	◇ Je suis le nombre qui représente 3 dizaines. 30	△ Je suis le nombre impair situé entre 61 et 64. 63

☐ J'ai une unité de plus que 54. 55		
☐ Je suis situé entre 52 et 54. 53		
☐ Que vaut le chiffre 5 dans 59? 50		
☐ Je suis le nombre impair compris entre 75 et 79. 77		

16 à 30	31 à 45	46 à 60	61 à 75	76 à 90
◇	○	▭	△	☐

◇	○	▭	△	☐

SCÉNARIO 17

Tic-tac-to avec les homophones

TÂCHES À RÉALISER

1. Les élèves auront à jouer au jeu de tic-tac-to avec les homophones *a* et *à*, *son* et *sont*, *on* et *ont*, *mes* et *mais*, *ses*, *ces*, *s'est* et *c'est*.
2. Les élèves auront ensuite à trouver dans des livres ou à rédiger des phrases dans lesquelles on retrouve ces homophones.
3. Les élèves se composeront enfin un autre jeu avec les homophones en voie d'acquisition.

INTENTION

Se servir du jeu de tic-tac-to comme moyen de maîtriser l'écriture de certains homophones.

MATIÈRE VISÉE

Français: écriture et lecture

OBJECTIFS

Français:

Écriture:
- Les homophones: Faire la différenciation orthographique des couples homophoniques: *a* et *à*; *son* et *sont*; *on* et *ont*; *mes* et *mais*; *ses*, *ces*, *s'est* et *c'est*.
- Rédiger des phrases signifiantes.

Lecture:
- Lire des textes à caractère incitatif.

PRÉPARATIFS

- Photocopier deux cartons de base par jeu (fiche 2).
- Photocopier les fiches 3 et 4 ou autres, selon le cas, sur des cartons de deux couleurs différentes.
- Photocopier la feuille de corrigé (fiche 5, 9, 12, 15 ou 20).

La fiche 6 sert à écrire les phrases pour la situation d'enrichissement.

SITUATION DE DÉPART

(individuellement ou en grand groupe, en atelier)

L'enseignante fait sortir de textes d'élèves ou de livres de lecture des phrases contenant les homophones travaillés et fait classer ces homophones. L'enseignante et les élèves dégagent ensemble la règle.

SITUATION D'APPROFONDISSEMENT

(en équipe de 2, en atelier)

Les élèves jouent au tic-tac-to avec les homophones travaillés (fiches 1, 2, 3 et 4, si ce sont les homophones *a* et *à*).

SITUATION D'ENRICHISSEMENT

Les élèves rédigent des phrases contenant les mots «a» ou «à» et les écrivent sur de petits cartons de deux couleurs différentes en remplaçant «a» ou «à» par … (fiche 6).

Les cartons de chaque couleur doivent avoir autant de réponses avec «a» que de réponses avec «à». Ces cartons peuvent former un autre jeu ou s'ajouter au jeu initial. Les élèves peuvent aussi se fabriquer un jeu pour la maison.

La même démarche peut se faire pour les autres homophones.

Tic-tac-to

Nombre de joueurs ou de joueuses: 2

Matériel nécessaire:

2 cartons de base
14 cartons de la fiche 3 (une couleur)
14 cartons de la fiche 4 (une autre couleur)
2 petits cartons marqués «a» et «à»

Marche à suivre:

1. Les élèves placent sur la table devant eux ou devant elles les deux cartons de base.

2. Sur le premier carton de base, les élèves placent le petit carton «a» et, sur le deuxième, le petit carton «à».

3. Chaque joueur ou joueuse prend un paquet de petits cartons de la même couleur et place les cartons devant lui, face contre la table.

4. À tour de rôle, les élèves tournent un petit carton et lisent la phrase.

5. L'élève place ensuite son petit carton sur l'un ou l'autre des cartons de base, selon que le *a* s'écrit «a» ou «à».

6. L'élève qui est le premier ou la première à faire tic-tac-to avec ses cartons sur l'un ou l'autre des cartons de base gagne la partie.

7. Les élèves peuvent se corriger à l'aide de la fiche «Corrigé».

**À photocopier sur des cartons
(deux cartons par jeu).**

A - À

À photocopier sur des cartons de couleur et à découper.

1 Aline _____ vendu sa bicyclette.	**2** Pierre s'est blessé _____ l'épaule.	**3** Les enfants jouent _____ cache-cache.
4 Il _____ beaucoup d'amis.	**5** Aujourd'hui, maman est _____ la maison.	**6** Éric _____ mangé une banane.
7 Marco se rend _____ la pêche avec son ami Gilles.	**8** Jules écrit un message _____ Nadine.	**9** Hélène _____ écrit une lettre.
10 Jean _____ été blessé.	**11** Luc va _____ la maison.	**12** Paul _____ reconnu son chien.
13 Nous irons _____ la campagne.	**14** Pierre _____ donné une montre à Marc.	**à**

**À photocopier sur des cartons d'une couleur
différente de la fiche 3 et à découper.**

1 Aujourd'hui, _____ la maison, tout le monde est heureux.	2 Demain, _____ l'école, nous fêterons.	3 Martin prend sa collation _____ la cuisine.
4 Vincent _____ un beau camion rouge.	5 Denis _____ mal dormi.	6 Je pense _____ la campagne.
7 Il _____ été malade hier.	8 Amélie se rend _____ l'épicerie.	9 Maman _____ photographié le chat.
10 Julie _____ rangé ses jouets.	11 Papa _____ réparé la voiture.	12 Anne va lire _____ la bibliothèque.
13 Demain, j'aurai _____ travailler beaucoup.	14 Valérie _____ un beau chapeau.	a

Corrigé

Fiche 3	**Fiche 4**
Couleur: _____	Couleur: _____

Fiche 3

Couleur: _____

1. a
2. à
3. à
4. a
5. à
6. a
7. à
8. à
9. a
10. a
11. à
12. a
13. à
14. a

Fiche 4

Couleur: _____

1. à
2. à
3. à
4. a
5. a
6. à
7. a
8. à
9. a
10. a
11. a
12. à
13. à
14. a

Son – Sont

À photocopier sur des cartons de couleur et à découper.

1 Nathalie se chamaille avec _____ frère.	2 Dany et Marc _____ venus me voir.	3 Les enfants _____ heureux de jouer dehors.
4 _____ chat blanc miaule.	5 Les roues de _____ camion seront remplacées.	6 Ces boîtes de carton _____ vides.
7 _____ pantalon est trop court.	8 Il va en voyage avec _____ père.	9 En hiver, les nuits _____ froides.
10 Karine et Lyne _____ deux grandes amies.	11 Le vent emporte _____ foulard.	12 Les fleurs de _____ jardin poussent vite.
13 Mes amis _____ prêts à t'aider.	14 Tes devoirs _____ terminés.	son

**À photocopier sur des cartons d'une couleur
différente de la fiche 7 et à découper.**

1 Robert et Gino _____ partis à la pêche.	2 Marc écono-mise _____ argent pour s'acheter une motocyclette.	3 Comme ils _____ vaillants, ces garçons!
4 Elle a retrouvé _____ chandail.	5 Édith et Mélissa _____ allées à la piscine.	6 Catherine a vendu _____ synthétiseur.
7 Où _____ mes souliers blancs?	8 Maman a réussi _____ gâteau.	9 Pierre et Luc _____ fiers de leur médaille.
10 Isabelle et Annie _____ du même âge.	11 Maryse est fière de _____ travail.	12 Mireille cherche _____ bas de laine.
13 Les enfants _____ heureux: c'est congé!	14 Dis-moi où _____ les biscuits.	**sont**

Corrigé

Fiche 7	**Fiche 8**
Couleur: _____	Couleur: _____
1. son	1. sont
2. sont	2. son
3. sont	3. sont
4. son	4. son
5. son	5. sont
6. sont	6. son
7. son	7. sont
8. son	8. son
9. sont	9. sont
10. sont	10. sont
11. son	11. son
12. son	12. son
13. sont	13. sont
14. sont	14. sont

On – Ont

À photocopier sur des cartons de couleur et à découper.

1 ____ a aidé papa à couper la viande.	**2** Pierre et Claude ____ bien réussi.	**3** Ce soir, ____ regarde la télévision.
4 Louise et Lyne ____ été trempées par l'orage.	**5** Les Chinois ____ des habitudes différentes.	**6** Ah! comme ____ est heureux quand le soleil brille.
7 Karine et Lyne ____ joué dehors au ballon tout l'après-midi.	**8** ____ fête Lyne aujourd'hui.	**9** ____ a mangé à midi.
10 Claude et Ginette ____ dansé hier soir.	**11** Lyne et Martine ____ été chez grand-mère.	**12** Les cloches ____ sonné à midi juste.
13 À la récréation, ____ a sauté à la corde.	**14** ____ a tous participé au concours.	on

**À photocopier sur des cartons d'une couleur
différente de la fiche 10 et à découper.**

1 _____ lit très peu de nos jours.	2 Ces garçons _____ fait peur aux oiseaux.	3 _____ connaît les habitudes différentes des Chinois.
4 Les élèves _____ terminé leur travail.	5 Je pense souvent que les autres _____ plus de chance que moi.	6 _____ vous a assez vus.
7 _____ est bien content.	8 Elles _____ pris le chemin indiqué.	9 _____ croit qu'ils se sont noyés.
10 _____ leur a indiqué le chemin.	11 Les légumes _____ bien poussé cet été.	12 _____ travaille très fort pour réussir.
13 Ils _____ moins d'argent qu'hier.	14 Nos voisins _____ quatre enfants.	**ont**

Corrigé

Fiche 10	**Fiche 11**
Couleur: _____	Couleur: _____
1. on	1. on
2. ont	2. ont
3. on	3. on
4. ont	4. ont
5. ont	5. ont
6. on	6. on
7. ont	7. on
8. on	8. ont
9. on	9. on
10. ont	10. on
11. ont	11. ont
12. ont	12. on
13. on	13. ont
14. on	14. ont

Mes – Mais

À photocopier sur des cartons de couleur et à découper.

1 ____ frères préfèrent la danse.	2 Je te suis, ____ ne cours pas.	3 Mon père disait à ____ enfants de venir jouer aux cartes.
4 La petite souris courait vite, ____ le chat l'a attrapée.	5 Tu peux aller moins vite, ____ vas-y.	6 J'ai oublié ____ cahiers dans mon bureau.
7 Mon frère et ____ sœurs m'oublient souvent.	8 ____ tantes viendront nous rendre visite.	9 ____ bottes sont toutes mouillées.
10 ____ à quoi penses-tu?	11 As-tu ____ cahiers?	12 Je préfère la poupée de ____ amies.
13 J'ai fait ____ traits dans ce cahier.	14 J'ai été glisser et ____ doigts sont gelés.	mais

**À photocopier sur des cartons d'une couleur
différente de la fiche 13 et à découper.**

1 _____ sœurs aiment cuisiner.	2 _____ enfants préfèrent la soupe aux légumes.	3 J'aime skier, _____ je préfère patiner.
4 J'aime travailler, _____ je préfère voyager.	5 _____ comme je suis chanceuse!	6 Je brosse _____ cheveux.
7 Je veux écrire, _____ je n'ai pas de crayons.	8 Où sont _____ amis?	9 Tu écoutes, _____ tu ne comprends pas.
10 _____ parents partent en voyage.	11 _____ pieds sont gelés, mais je vais les réchauffer en rentrant à la maison.	12 Je cherche _____ bas.
13 Je vais te prêter _____ jouets.	14 J'aime bien mon enseignante, _____ parfois elle est sévère.	 mes

Corrigé

Fiche 13	Fiche 14
Couleur: _____	Couleur: _____
1. mes	1. mes
2. mais	2. mes
3. mes	3. mais
4. mais	4. mais
5. mais	5. mais
6. mes	6. mes
7. mes	7. mais
8. mes	8. mes
9. mes	9. mais
10. mais	10. mes
11. mes	11. mes
12. mes	12. mes
13. mes	13. mes
14. mes	14. mais

1 Il vient de corriger _____ fautes.	2 Ma mère trouve que _____ beau-coup trop cher.	3 Lyne a mis _____ bottes pour aller dehors.
4 Nous verrons si _____ une histoire triste ou drôle.	5 L'oiseau _____ envolé par la fenêtre.	6 Il frottait _____ souliers pour ôter la boue.
7 _____ deux policiers lui ont demandé sa carte d'identité.	8 _____ deux voyageurs sont arrivés à destination.	9 Sylvain a mis _____ plus beaux souliers.
10 _____ farceurs lui ont caché sa paire de souliers.	11 _____ un magnifique dessin que tu viens de faire.	12 _____ toi, Sylvie, qui présentera le spectacle.
13 _____ livres sur la table sont à moi.	14 Véronique _____ améliorée en écriture.	15 _____ maigres revenus ne lui permettent pas d'acheter cette belle voiture.
16 Les livres sont à _____ deux sœurs.	17 Ce renard _____ échappé de sa cage.	18 Il fait chaud car _____ l'été.

19 Son père a perdu presque tous ____ cheveux.	20 ____ remarquable comme cet élève s'améliore depuis quelque temps.	21 Isabelle ____ blessée en pelant une pomme.
22 Ce garnement ____ encore battu.	23 ____ maisons se sont bien conservées, vu leur âge.	24 Chantal ____ mise à rédiger son devoir.

1 Cet enfant embrasse _____ parents.	2 Bon, je crois que _____ à mon tour.	3 Le policier a arrêté cet homme et a examiné _____ papiers.
4 Ginette a fait couper _____ cheveux.	5 Notre enseignante a oublié _____ livres chez elle.	6 Mon frère _____ endormi sur le sofa.
7 _____ à ton tour maintenant.	8 _____ policiers ont sauvé mon grand-père.	9 Avec cette personne-là, _____ toujours la même chose.
10 Sa cigarette _____ éteinte.	11 _____ Noël, il neige.	12 Jette tous _____ vieux papiers dans la poubelle.
13 Nathalie _____ fâchée contre son meilleur ami.	14 L'oiseau _____ blessé.	15 Ta montre _____ arrêtée à midi juste.
16 Notre voisin _____ encore mis en colère.	17 Mon père a cassé _____ lunettes.	18 Dans _____ pays du Sud, il fait très chaud.

19 Ils sont dangereux, _____ chiens-là.	**20** Vois-tu ce que _____?	**21** Il faut le punir, car _____ de sa faute.
22 La poule protège _____ poussins.	**23** Je n'aime pas _____ légumes-là.	**24** Grâce à _____ deux femmes, Thérèse a retrouvé son père.
c'est	ses	s'est
ces		

C'est – Ces – S'est – Ses
Corrigé

Partie 1 (fiches 16 et 17)		Partie 2 (fiches 18 et 19)	
Couleur: _____		Couleur: _____	
1. ses	13. ces	1. ses	13. s'est
2. c'est	14. s'est	2. c'est	14. s'est
3. ses	15. ses	3. ses	15. s'est
4. c'est	16. ses	4. ses	16. s'est
5. s'est	17. s'est	5. ses	17. ses
6. ses	18. c'est	6. s'est	18. ces
7. ces	19. ses	7. c'est	19. ces
8. ces	20. c'est	8. ces	20. c'est
9. ses	21. s'est	9. c'est	21. c'est
10. ces	22. s'est	10. s'est	22. ses
11. c'est	23. ces	11. c'est	23. ces
12. c'est	24. s'est	12. ces	24. ces

SCÉNARIO 18

Le bonhomme de neige

TÂCHES À RÉALISER

1. Les élèves auront à fabriquer un bonhomme de neige et à le décrire.
2. Les élèves auront à associer toutes les descriptions de bonshommes de neige aux bonshommes de neige réalisés par les autres élèves de la classe.
3. Les élèves auront à placer les bonshommes de neige par ordre croissant et décroissant.
4. Les élèves auront à former différents ensembles avec les bonshommes de neige.
5. Les élèves auront à mesurer les bonshommes de neige.
6. Les élèves auront à compléter l'histoire de Rigolo, le bonhomme de neige, à l'illustrer et à la présenter.

INTENTION

Travailler sur le thème des bonshommes de neige. Décrire, rédiger la fin d'une histoire, travailler les notions d'ensemble et d'ordre croissant.

MATIÈRES VISÉES

Français: lecture, écriture, oral
Mathématique
Arts plastiques

OBJECTIFS

Français:

Lecture:
- Lire des textes à caractère incitatif.
- Lire des textes à caractère poétique ou ludique.
- Lire des textes à caractère informatif.

Écriture:
- Rédiger des textes à caractère ludique.
- Rédiger des textes à caractère incitatif.
- Donner suffisamment d'informations sur un sujet donné.
- Utiliser un vocabulaire précis, adapté au sujet.

Oral:
- Choisir et organiser l'information.

Mathématique:
- Mesurer en unités non conventionnelles ou en centimètres.
- Classer des objets selon une propriété donnée.
- Comparer la longueur de deux objets.

Arts plastiques:
- Représenter des objets familiers.

PRÉPARATIFS

Se procurer des cartons de différentes couleurs.
Trouver des objets en forme de cercle.
Photocopier les fiches 1 à 6 pour chaque élève.

SITUATION DE DÉPART
(en grand groupe)

1. L'enseignante remet des cartons de différentes couleurs aux élèves.
2. Chaque élève découpe trois cercles de différentes grandeurs sur la fiche 1.
3. Avec les trois cercles, chaque élève se construit un bonhomme de neige et le décore à sa façon.
4. L'enseignante numérote les bonshommes de neige des élèves de 1 à …

SITUATION D'APPROFONDISSEMENT EN
FRANÇAIS (individuellement, en atelier)

1. Chaque élève fait la description de son bonhomme de neige.
2. L'élève copie sa description sur un carton d'environ 10 cm sur 21 cm.
3. Les élèves ont à associer chaque description au bonhomme de neige correspondant.

SITUATIONS D'APPROFONDISSEMENT EN MATHÉMATIQUE (individuellement, en atelier)

1. Les élèves placent les bonshommes de neige par ordre croissant, puis par ordre décroissant.
2. Les élèves classent les bonshommes de neige en formant différents ensembles.
   Chaque élève aura son propre classement, selon le critère qui lui est donné.
3. Les élèves mesurent chaque bonhomme de neige, soit en unités non conventionnelles (trombones, réglettes), soit en centimètres ou en décimètres, et écrivent leurs réponses sur la feuille prévue à cette fin.
4. Les élèves corrigent l'activité réalisée au numéro 4 (fiche 2) à l'aide du corrigé fourni par l'enseignante.

SITUATION DE CONSOLIDATION EN MATHÉMATIQUE (individuellement, en atelier)

Les élèves mesurent des éléments de l'illustration sur l'hiver (fiches 3 et 4) et peuvent aussi colorier l'illustration.

SITUATIONS D'ENRICHISSEMENT EN FRANÇAIS (individuellement, en atelier)

1. Les élèves lisent le texte «Rigolo, le bonhomme de neige» (fiche 5) et réalisent l'activité de la fiche 6.
2. Les élèves dessinent le bonhomme de neige Rigolo.
3. Les élèves cherchent une solution au problème de Rigolo et notent le résultat de leurs réflexions.
4. Les élèves continuent l'histoire.
5. Les élèves illustrent la fin de l'histoire.
6. Les élèves présentent la fin de l'histoire à leurs camarades.

Fiche **1**

Les bonshommes de neige

Matériel nécessaire:

Bonshommes de neige fabriqués
par les élèves
Règle, réglettes ou trombones
Cordes attachées pour former
des ensembles
Feuille ou cahier

Marche à suivre:

1. Place les bonshommes de neige par ordre croissant
   (du plus petit au plus grand).

2. Place les bonshommes de neige par ordre
   décroissant (du plus grand au plus petit).

3. À l'aide des cordes, regroupe les bonshommes de
   neige pour en faire des ensembles.

4. Mesure la hauteur de chaque bonhomme de neige.

5. Écris ta réponse sur une feuille ou dans ton cahier.

6. Corrige ton travail à l'aide du corrigé, si tu le veux.

Je mesure

1. La hauteur du bonhomme de neige. _____

2. La largeur du bonhomme de neige. _____

3. La longueur du traîneau. _____

4. La largeur du chapeau du bonhomme. _____

5. La grandeur de la petite fille. _____

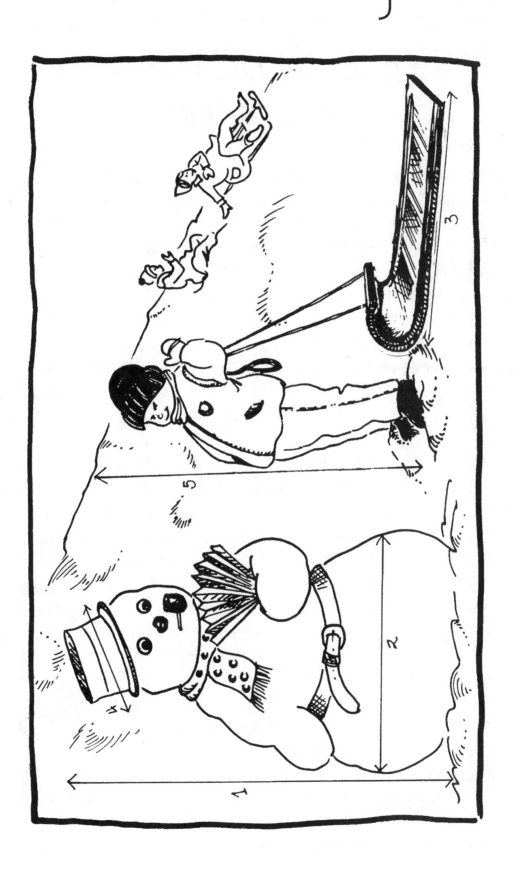

Rigolo, le bonhomme de neige

Un petit garçon décide, par une journée de tempête, d'aller faire un bonhomme de neige avec ses amis. Le petit garçon se nomme Pierrot. Pierrot et ses amis Réjean et André veulent faire un grand bonhomme de neige très spécial. En plus d'être grand, le bonhomme de neige se retrouve très mince. Cinq boules de neige ont servi à le faire. Celle du milieu est plus petite. C'est pour lui servir de taille. Autour de la taille, les garçons lui ont placé une cravate jaune et rouge. Ils lui ont fait des yeux bleus, et des lèvres rouges avec de la laine. Une carotte lui sert de nez.

Comme il est beau, ce bonhomme! Il est là qui regarde les enfants jouer.

Tout à coup, le bonhomme de neige devient un vrai personnage. Il se met à marcher vers les enfants. D'abord très surpris, les garçons finissent par accepter le bonhomme de neige dans leurs jeux. Voulant l'appeler, ils se rendent compte qu'il n'a pas de nom. Ensemble, ils décident de l'appeler Rigolo. Rigolo est très content de son nom. Les quatre amis passent un après-midi formidable. Ils glissent, jouent au hockey, patinent. Réjean prête même ses patins à Rigolo. Mais la journée achève et les enfants doivent rentrer chez eux.

- Que faire avec Rigolo?
- Doivent-ils le présenter à leurs parents?
- Doivent-ils le laisser seul dehors?
- Où doivent-ils aller le reconduire?
- Que feront-ils avec Rigolo?

Rigolo, le bonhomme de neige

1. Lis le texte, «Rigolo, le bonhomme de neige».

2. Essaie de trouver une solution au problème de Rigolo.

3. Continue l'histoire.

4. Tu auras à présenter la fin de l'histoire à tes camarades.

   Trouve-toi un moyen original de la présenter.

   – mime

   – sketch...

SCÉNARIO 19

Un robot

TÂCHE À RÉALISER

Les élèves auront à se monter un robot à partir de différents solides construits par les élèves mêmes.

INTENTION

Construire un robot à l'aide de solides.

MATIÈRES VISÉES

Arts plastiques
Mathématique
Français: oral, écriture, lecture

OBJECTIFS

Arts plastiques:
– Fixer ensemble des volumes en les collant ou en les attachant pour obtenir des stabiles.

Mathématique:
– Construire des solides avec le matériel approprié.
– Associer un solide à l'ensemble des figures à deux dimensions qui composent sa surface.
– Comparer différentes figures planes.

Français:
Oral:
– Adapter un discours à l'intention du locuteur ou de la locutrice.
Écriture:
- Rédiger des textes à caractère expressif.
Lecture:
– Lire des textes à caractère incitatif.

PRÉPARATIFS

– Photocopier sur du carton différents modèles de solides (fiches 2 à 12) en quantité suffisante.
– Se procurer quelques boules de polystyrène.
– Photocopier la fiche 1 pour chaque élève.

SITUATION DE DÉPART

(individuellement, en atelier)

Les élèves construisent des solides à partir des modèles illustrés sur les cartons.

Les élèves indiquent le genre de figures utilisé dans chacun des solides (carré, cercle, triangle, rectangle…).

SITUATION D'APPROFONDISSEMENT

Activité 1 (en grand groupe)

Retour sur la situation de départ. L'enseignante et les élèves observent les solides réalisés et dégagent les caractéristiques de chacun d'eux.

Les élèves les nomment et cherchent dans leur environnement des objets pouvant se comparer aux solides réalisés.

Activité 2 (individuellement)

Les élèves font des exercices dans les manuels de base.

SITUATION D'ENRICHISSEMENT

(individuellement ou en équipe, en atelier)

Les élèves construisent leur robot et le personnifient (fiches 1 à 12).

Un robot

Matériel nécessaire:

Photocopies des solides
Colle
Ciseaux

Marche à suivre:
1ᵉ partie:

1. Pense à un robot que tu pourrais construire à partir de différents solides.

2. Choisis les solides dont tu auras besoin.

3. Découpe ces solides et construis-les.

4. Assemble ton robot en collant les solides ensemble.

5. Sers-toi de boules de polystyrène comme sphères, si tu le veux.

2ᵉ partie:

Personnifie ton robot, car tu auras à le faire parler.

Il aura à se présenter aux autres élèves de la classe.
  – Comment s'appelle-t-il?
  – D'où vient-il?
  – Que mange-t-il?
  – Que fait-il de spécial?

1. Prépare ta présentation.

2. Écris-la sur une feuille.

3. Présente ton travail à ton enseignante.

4. Prépare-toi à présenter oralement le résultat de ton travail.

5. Fais parler ton robot. Fais-le se présenter.

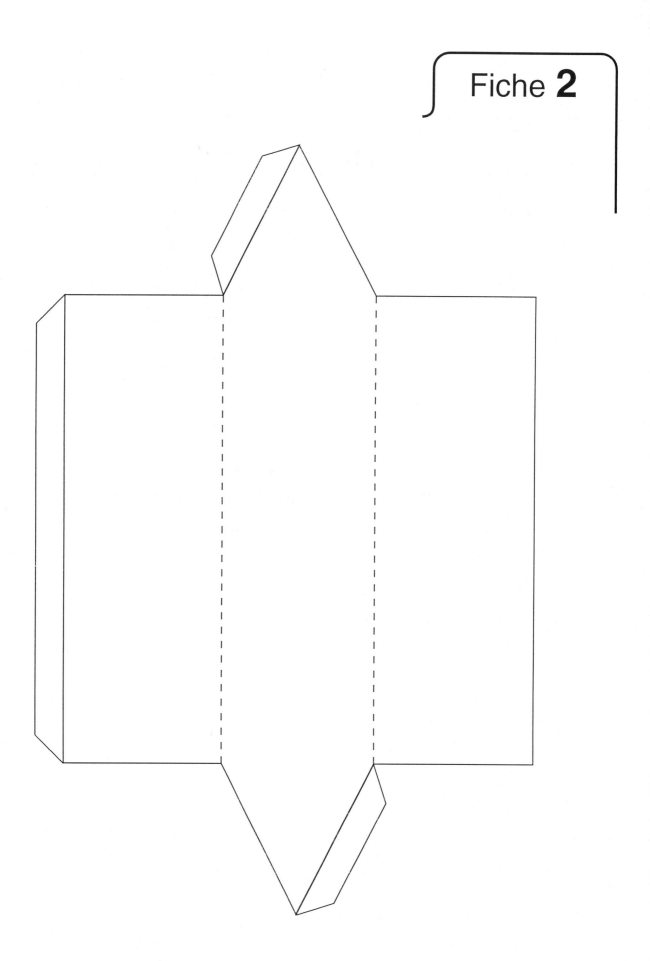

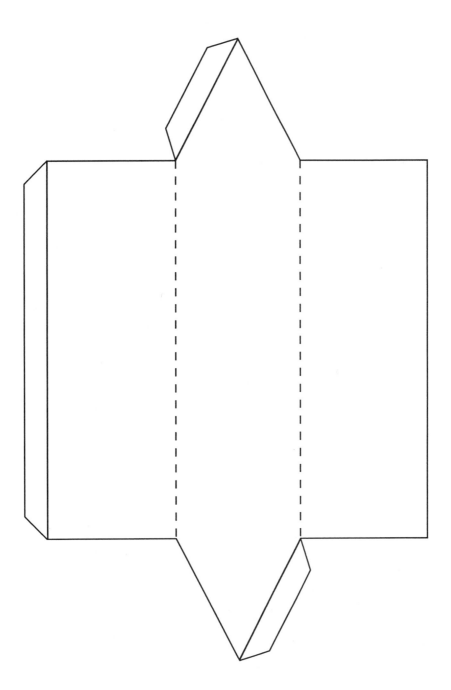

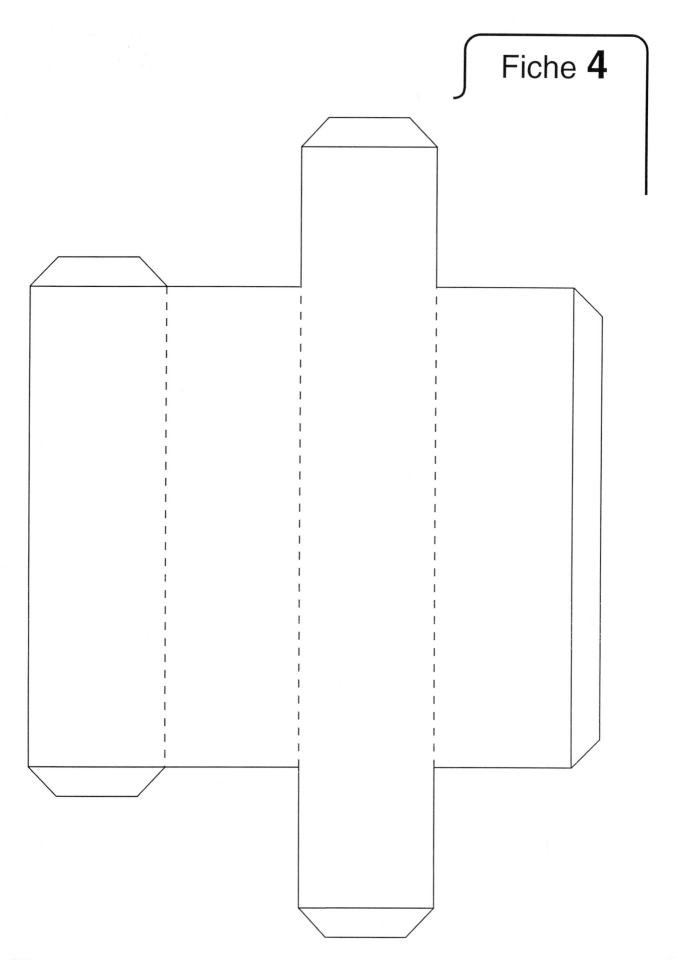

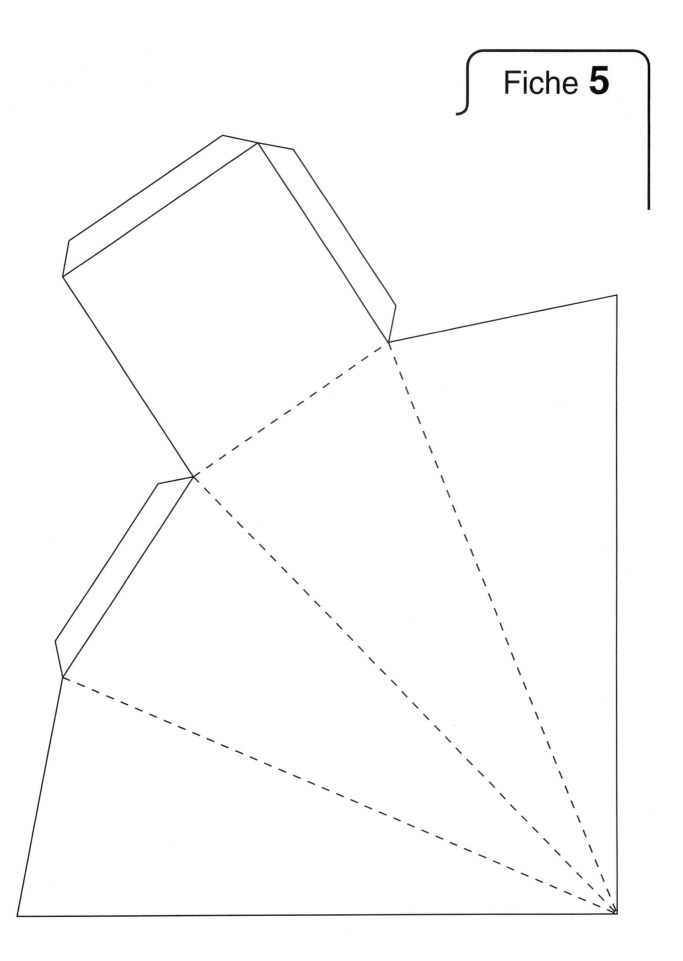

Trente-quatre scénarios d'apprentissage   **259**

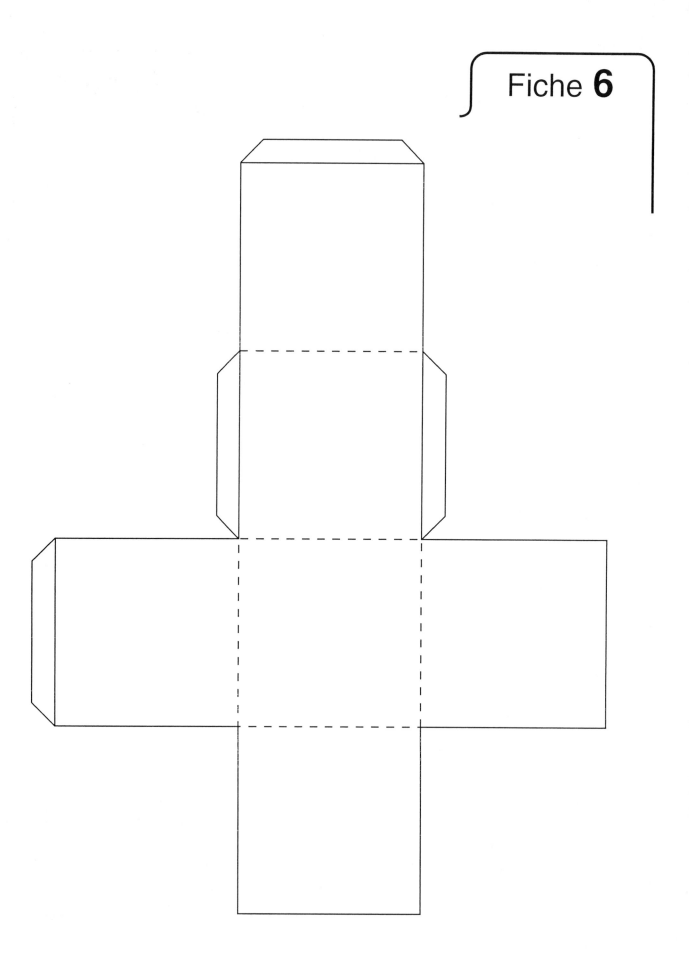

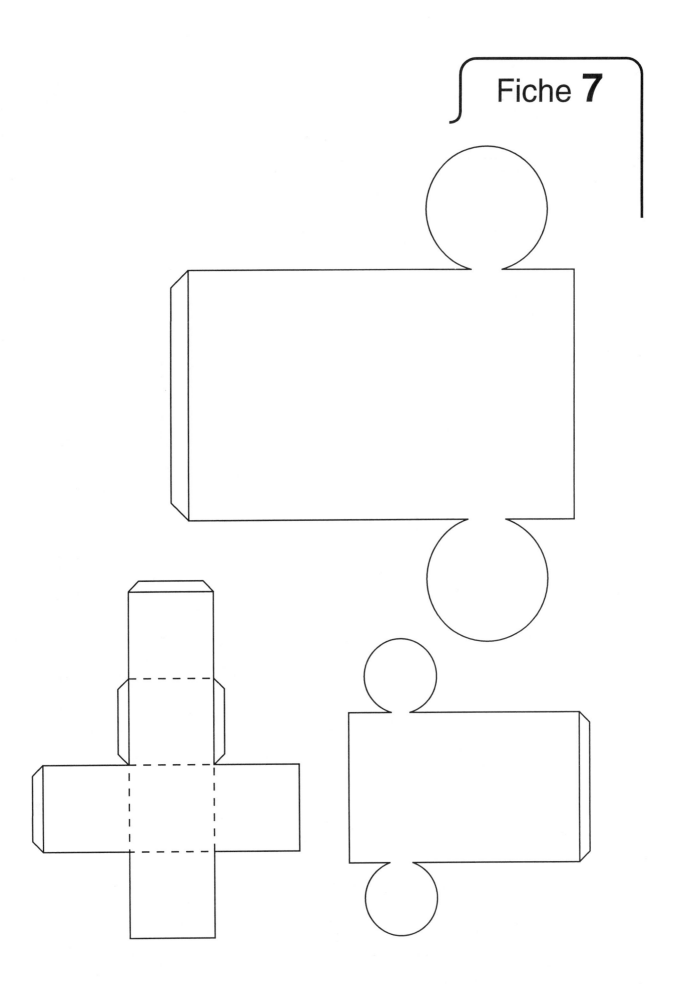

Trente-quatre scénarios d'apprentissage

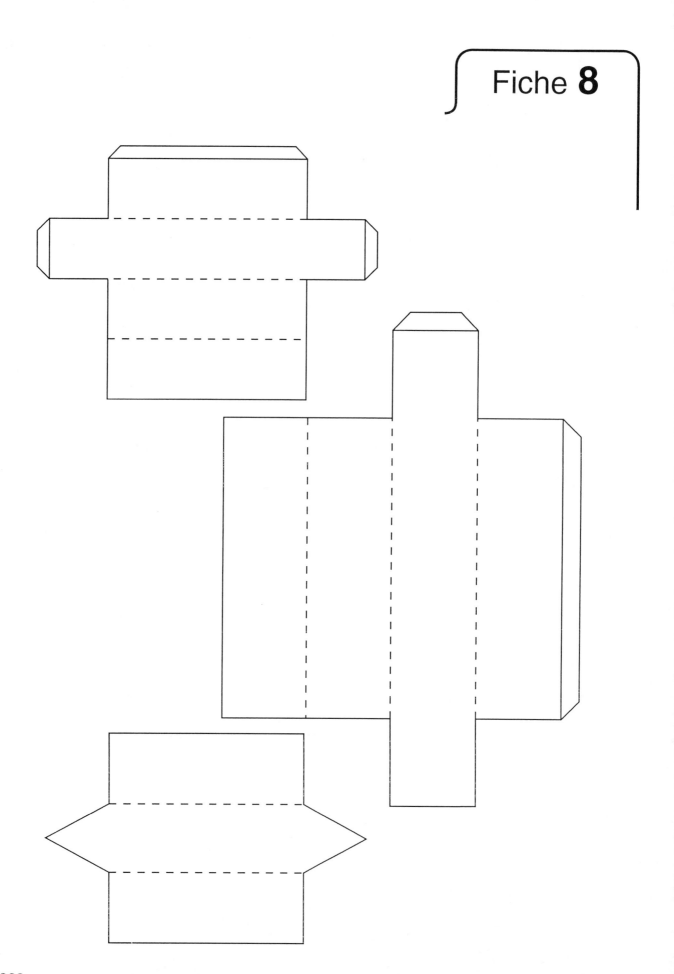

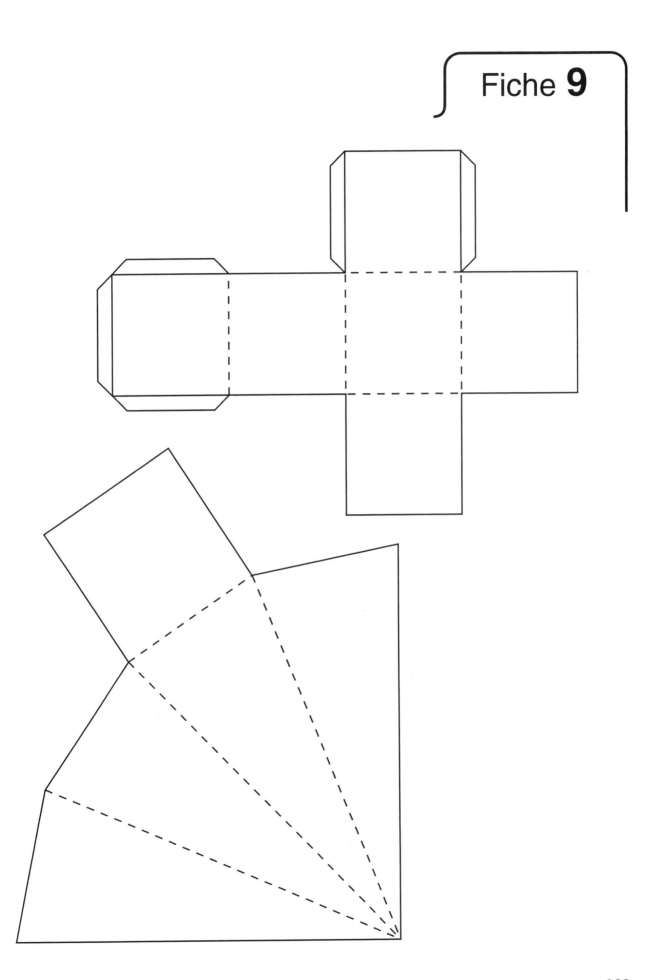

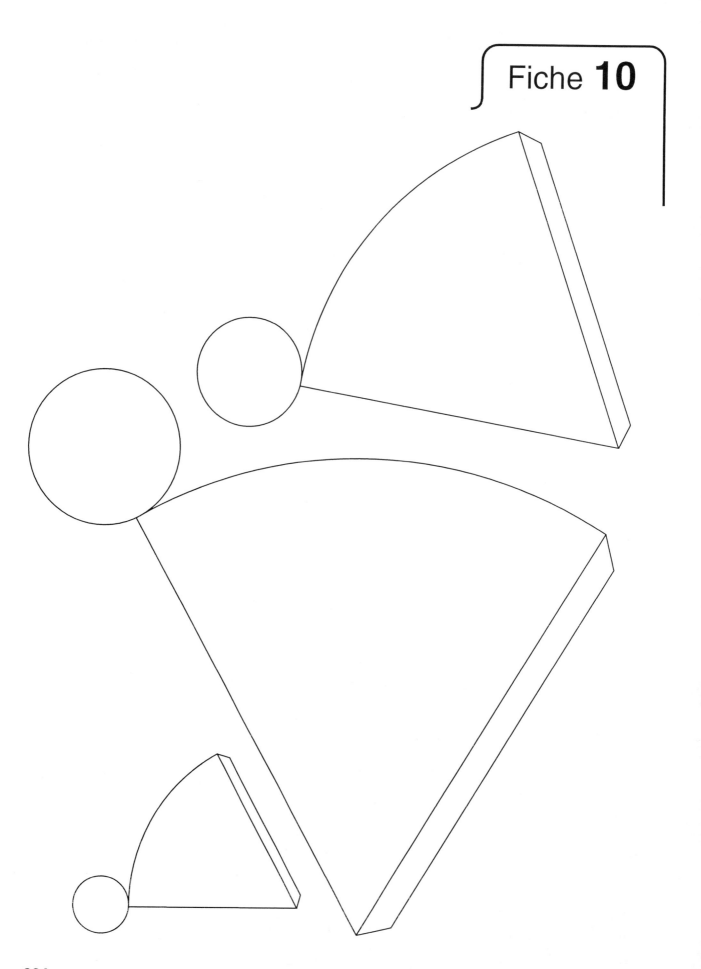

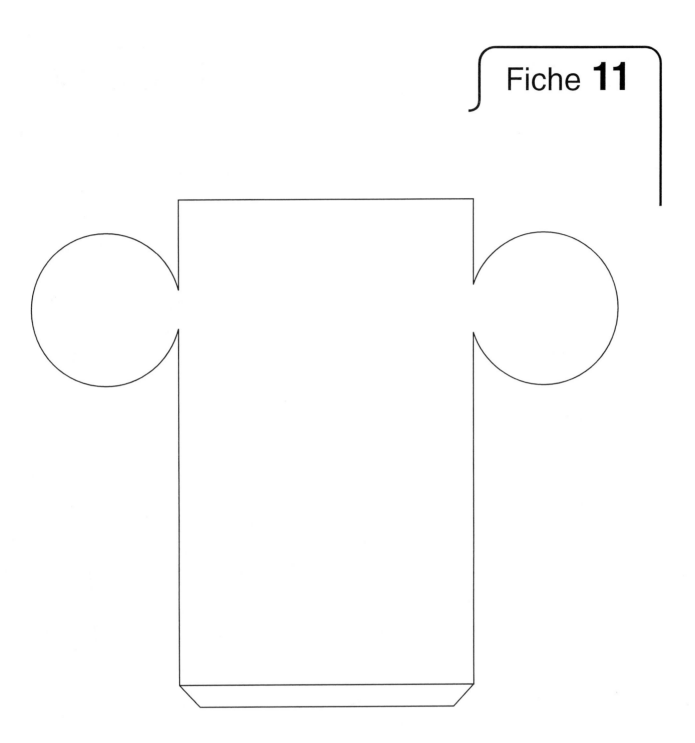

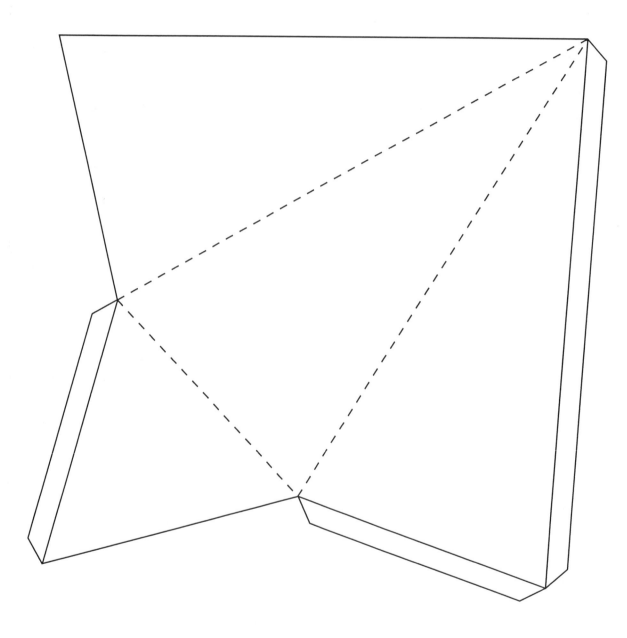

SCÉNARIO 20

Devinettes de mathématique

Classe: 3e année

TÂCHE À RÉALISER

Jouer au jeu de devinettes.

INTENTION

Bien connaître la valeur du nombre tout en jouant aux devinettes.

MATIÈRES VISÉES

Mathématique
Français: lecture

OBJECTIFS

Mathématique:
– Composer et décomposer un nombre représentant un ensemble d'éléments regroupés en base 10.

Français:

Lecture:
– Lire des textes à caractère incitatif.

PRÉPARATIFS

– Photocopier les règles du jeu (fiche 1).
– Photocopier les cartes-questions sur des cartons de couleur (fiches 2 et 3).
– Photocopier les cartes-réponses sur des cartons d'une autre couleur (fiches 4 et 5).
– Photocopier le corrigé en quantité suffisante (fiche 6).

SITUATION DE DÉPART

(individuellement ou en équipe, en atelier)

Les élèves manipulent des centicubes, des réglettes et des plaques (centaines) pour représenter des nombres contenant des unités, des dizaines et des centaines.

SITUATION D'APPROFONDISSEMENT

(en équipe, en atelier)

Les élèves jouent au jeu de devinettes de mathématique.

SITUATION D'ENRICHISSEMENT

(individuellement ou en équipe, en atelier)

Les élèves inventent un nouveau jeu avec d'autres nombres.

SITUATION DE CONSOLIDATION

(en équipe, en atelier)

Les élèves jouent au nouveau jeu réalisé par les élèves en enrichissement.

Jeu de devinettes

Nombre de joueurs ou de joueuses: 2, 3 ou 4

Matériel nécessaire:

Cartes-questions (48)
Cartes-réponses (48)

Marche à suivre:

1. Un ou une élève brasse les cartes-réponses et les distribue également aux autres joueurs et joueuses.

2. Un ou une autre élève brasse les cartes-questions et place le paquet, face contre table, au centre de la table.

3. À tour de rôle, les élèves tirent une carte du paquet et lisent l'opération. L'élève qui lit la consigne remet la carte à l'élève qui possède la bonne réponse.

4. L'élève qui reçoit la carte place celle-ci sur la carte-réponse correspondante.

5. L'élève qui est le premier ou la première à réussir à recouvrir toutes ses cartes-réponses de cartes-questions gagne la partie.

Devinettes de mathématique

Cartes-questions

1 9 centaines 8 unités	2 9 centaines 1 dizaine 5 unités	3 4 centaines 3 dizaines 5 unités
4 800 et 60 et 8	5 5 centaines 8 dizaines 1 unité	6 800 et 40 et 9
7 900 et 50 et 8	8 600 et 70 et 3	9 8 dizaines 9 unités
10 7 centaines 8 dizaines 9 unités	11 400 et 70	12 800 et 2
13 100 et 40 et 9	14 800 et 70 et 4	15 200 et 90 et 4
16 600 + 50 + 5	17 4 dizaines 3 unités	18 900 et 80 et 1
19 3 centaines 2 dizaines 2 unités	20 100 et 9	21 300 et 20 et 3

22 9 dizaines 5 unités	23 700 et 40	24 500 et 30 et 4
25 800 et 80 et 8	26 800 et 50	27 4 centaines 6 dizaines 2 unités
28 2 centaines 8 dizaines 4 unités	29 8 dizaines 3 unités	30 600 et 60 et 9
31 3 centaines 2 dizaines	32 50 et 9	33 500 + 10 + 2
34 300 + 90 + 8	35 600 et 90 et 9	36 500 et 70 et 2
37 200 + 20 + 2	38 100 + 10 + 1	39 400 + 10 + 8
40 100 et 70 et 4	41 500 + 60 + 5	42 200 + 80 + 1
43 1 centaine 4 unités	44 5 dizaines 5 unités	45 400 et 90 et 3
46 9 dizaines 8 unités	47 Cent et dix	48 700 + 30 + 8

Cartes-réponses

a 55	b 673	c 850
d 470	e 958	f 512
g 89	h 888	i 110
j 740	k 738	l 981
m 281	n 59	o 908
F 95	G 849	H 868
L 222	M 43	N 534

P 174	Q 462	R 294
Aa 98	Ab 109	Ac 699
Ad 802	Ae 398	Af 655
Ag 874	Ah 104	Ai 669
p 284	q 111	r 565
s 435	t 322	u 149
v 418	w 581	x 915
y 572	z 789	A 493
B 323	D 320	E 83

Corrigé

1. o	17. M	33. f
2. x	18. l	34. Ae
3. s	19. t	35. Ac
4. H	20. Ab	36. y
5. w	21. B	37. L
6. G	22. F	38. q
7. e	23. j	39. v
8. b	24. N	40. P
9. g	25. h	41. r
10. z	26. c	42. m
11. d	27. Q	43. Ah
12. Ad	28. p	44. a
13. u	29. E	45. A
14. Ag	30. Ai	46. Aa
15. R	31. D	47. i
16. Af	32. n	48. k

SCÉNARIO 21

Nous nous mesurons

TÂCHES À RÉALISER

Les élèves auront à se mesurer (deux à deux) et à noter les résultats de leurs mesures.

Cette activité peut se faire au début et à la fin de l'année scolaire.

INTENTION

Constater l'évolution de sa croissance au cours d'une année et comparer ses mesures avec celles d'un ou d'une camarade.

MATIÈRES VISÉES

Mathématique
Sciences de la nature
Sciences humaines
Français: lecture

OBJECTIFS

Mathématique:
– Estimer et mesurer la longueur d'un objet au centimètre près.

Sciences de la nature:
– Mesurer sa taille et son poids. Illustrer au moyen d'un histogramme sa croissance au cours d'une année.

Sciences humaines:
– Trouver des différences significatives en ce qui concerne les traits physiques d'une personne à divers moments de sa vie.

Français:
Lecture:
– Lire des textes à caractère incitatif.

PRÉPARATIFS

– Se procurer un ou deux rubans à mesurer.
– Photocopier les fiches 1, 2, 3 et 5 pour chaque élève.
– Photocopier la fiche 4 (1 ou 2 copies selon le nombre d'élèves).

SITUATION DE DÉPART
(en grand groupe)

L'enseignante amène les élèves à s'observer mutuellement. Elle fait ressortir les différences et les ressemblances entre les élèves.

Les élèves devraient déjà avoir appris à mesurer en centimètres et en mètres.

SITUATIONS D'APPROFONDISSEMENT
(en équipe de 2, en atelier)

1. Les élèves se mesurent et notent leurs mesures sur les fiches 2 et 3, et également sur la fiche 4, aux numéros 2, 3, 5 et 7.
2. Les élèves illustrent au moyen d'un histogramme le portrait de la grandeur des élèves de la classe (fiche 5).

SITUATION D'ENRICHISSEMENT
(individuellement, en atelier)

Les élèves illustrent au moyen d'un histogramme un autre élément noté sur la fiche 4 en se servant toujours de la fiche 5.

Nous nous mesurons

En équipe de 2

Matériel nécessaire:

Crayon
Ruban à mesurer
Fiches 1 à 5

Marche à suivre:

1. Prends les mesures d'un ou d'une camarade, note ses mesures sur les fiches 2 et 3 et écris son nom sur la fiche 2.

2. Demande à ton ou à ta camarade de te mesurer, de noter tes mesures sur les fiches 2 et 3 et d'écrire ton nom sur la fiche 2.

3. Inscris tes mesures vis-à-vis de ton nom sur la fiche 4. Ton enseignante a cette fiche en main ou l'a placée à un endroit précis dans la classe.

4. Quand la totalité des élèves de la classe ont pris leurs mesures, illustre les données sur la grandeur (n° 2) au moyen d'un histogramme. Sers-toi de la fiche 5 pour réaliser ton travail.

5. Une fois ton histogramme terminé, illustre d'autres données de la fiche 4, si tu le veux.

6. Présente ton ou tes histogrammes aux autres élèves de la classe en donnant des explications.

Nom: _____

Je prends mes mesures

1. 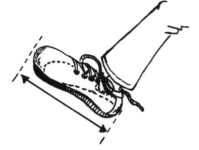 La longueur de mon pied

_____

2.  Ma grandeur totale

_____

3. Mon poids _____

4. Mon âge _____

5.    De l'épaule au poignet

_____

6.    Le tour de la tête

_____

7.    Le tour de la taille

_____

8.    Le tour du poignet

_____

9.    Le tour du cou

_____

1 Nom des élèves	2 Grandeur	3 Poids	5 Longueur du bras	7 Tour de la taille

Histogramme

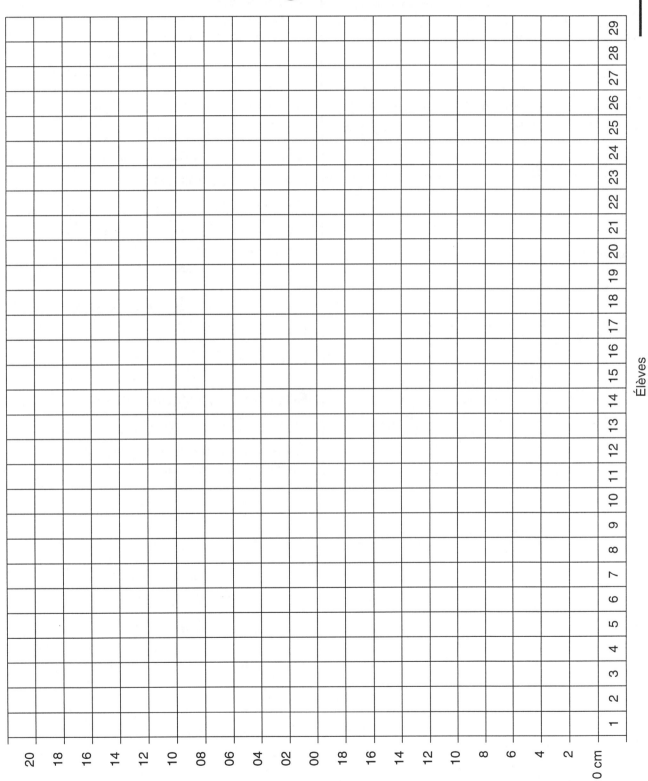

Élèves

SCÉNARIO 22

Les saisons (jeu)

TÂCHE À RÉALISER

Les élèves auront à jouer au jeu des saisons pour devenir plus habiles à associer différents événements à chacune des saisons.

INTENTION

Réussir à placer les cartes sur le carton de la saison choisie avant les autres.

MATIÈRES VISÉES

Français: lecture
Sciences humaines (concept de temps)

OBJECTIFS

Français:

Lecture:
- Lire des textes à caractère ludique.
- Lire des textes à caractère incitatif.

Sciences humaines:
- Nommer les diverses parties de chacun des cycles quotidien, hebdomadaire et annuel.
- Associer des activités et des événements aux divers moments de chacun des cycles.

PRÉPARATIFS

- Photocopier les quatre feuilles représentant les saisons (fiches 2, 3, 4 et 5) et la série de petites cartes sur des cartons (fiches 6, 7, 8 et 9).
- Faire découper les petites cartes par les élèves. Les plastifier pour une plus grande durabilité (facultatif).
- Photocopier les fiches 1 et 10 pour chaque élève.
- Photocopier la fiche 11 pour chaque équipe.

SITUATION DE DÉPART
(en grand groupe)

L'enseignante fait un retour sur le scénario 6 «Les saisons» ou va chercher les acquis des élèves sur les activités réalisées à chacune des saisons.

SITUATION D'APPROFONDISSEMENT
(en équipe, en atelier)

Les élèves jouent au jeu des saisons.

SITUATION D'ENRICHISSEMENT
(individuellement, en atelier)

Les élèves rédigent d'autres phrases sur chacune des saisons et les écrivent sur la fiche 10.

Les saisons (jeu)

Matériel nécessaire:

4 cartons représentant les saisons
40 petites cartes

Objectif:

Associer les événements à la saison correspondante.
Nombre de joueurs ou de joueuses: 2 ou 4

Marche à suivre:

1. Chaque élève choisit un carton d'une ou de deux saisons.

2. Les petits cartons sont placés au centre de la table, face contre table.

3. À tour de rôle, les élèves tirent un petit carton, lisent la consigne donnée et remettent le carton à l'élève qui a le carton de la saison correspondante.

4. L'élève place ce petit carton sur une case du carton correspondant à la bonne saison.

5. L'élève qui le premier ou la première a six petits cartons pour remplir la carte d'une saison gagne la partie.

6. Les élèves peuvent vérifier leurs réponses à l'aide du corrigé (fiche 11).

Printemps

Été

Automne

Hiver

1 Les feuilles tombent.	2 On peut faire des bonshommes de neige.	3 C'est le temps des pommes.
4 On peut récolter l'avoine.	5 Les feuilles sont jaunes.	6 On cueille des cerises.
7 Nous allons à la cabane à sucre.	8 Il faut s'habiller chaudement.	9 Les animaux se réveillent.
10 Les oiseaux reviennent du Sud.	11 Il y a des glaçons aux fenêtres.	12 Nous fêtons Noël.

13	14	15
Nous fêtons l'Halloween.	Les ruisseaux débordent.	Nous pouvons faire du ski.
16	**17**	**18**
Les feuilles sont rouges.	Nous ramassons des fraises.	Les pissenlits poussent partout.
19	**20**	**21**
La neige fond.	Les parterres sont garnis de fleurs.	Les feuilles jaunissent.
22	**23**	**24**
Nous ramassons des framboises.	Nous pouvons faire de la motoneige.	Les enfants s'amusent dans les feuilles.

25 Il fait chaud.	26 La neige tombe.	27 Les feuilles des arbres se forment.
28 Nous pouvons faire de la raquette.	29 Nous pouvons patiner.	30 Les enfants s'amusent dans le sable.
31 Nous pouvons glisser.	32 Nous semons des graines dans nos jardins.	33 Nous faisons la récolte des pommes de terre.
34 Le soleil éclaire longtemps.	35 Nous nous baignons dans le lac.	36 C'est le temps des grandes vacances.

37 Les feuilles ont plein de couleurs.	38 Le gazon reverdit.	39 Nous avons un long congé scolaire.
40 Nous fêtons la fête de Pâques.		

Corrigé

1. Automne
2. Hiver
3. Automne
4. Automne
5. Automne
6. Été
7. Printemps
8. Hiver
9. Printemps
10. Printemps
11. Hiver
12. Hiver
13. Automne
14. Printemps
15. Hiver
16. Automne
17. Été
18. Printemps
19. Printemps
20. Été

21. Automne
22. Été
23. Hiver
24. Automne
25. Été
26. Hiver
27. Printemps
28. Hiver
29. Hiver
30. Été
31. Hiver
32. Printemps
33. Automne
34. Été
35. Été
36. Été
37. Automne
38. Printemps
39. Été
40. Printemps

Mon ourson préféré

TÂCHES À RÉALISER

1. Après avoir appris à décrire un ourson, les élèves auront à en faire la description.
2. Les élèves auront à associer les descriptions d'oursons aux oursons des élèves de la classe.
3. Les élèves auront à comparer deux oursons en les mesurant.
4. Les élèves auront à inventer un nouveau modèle d'ourson, à faire une affiche publicitaire pour le vanter afin d'en promouvoir la vente.

(Tout autre animal en peluche peut remplacer l'ourson.)

INTENTION

Décrire des oursons pour ensuite les comparer afin de pouvoir en inventer un nouveau modèle.

MATIÈRES VISÉES

Français: écriture, lecture, oral
Mathématique
Arts plastiques

OBJECTIFS

Français:

Écriture:
- Rédiger des textes à caractère incitatif.
- Rédiger des textes à caractère informatif.
- Ponctuation: Reconnaître le rôle de la majuscule en début de phrase, du point et des virgules comme repères servant à former des ensembles signifiants dans un texte.

Lecture:
- Lire des textes à caractère informatif.
- Lire des textes à caractère incitatif.

Oral:
- Faire un discours à caractère incitatif.

Mathématique:
- Être capable de mesurer un objet au centimètre près.

- Comparer la longueur de différents objets en centimètres.

Arts plastiques:
- Représenter des objets familiers: jouets…

PRÉPARATIFS

- Préparer de petits cartons d'environ 20 cm sur 10 cm.
- Apporter et faire apporter par chaque élève un ourson en peluche.
- Photocopier les fiches 1 à 6 pour chaque élève.
- Préparer un corrigé des fiches 5 et 6.

SITUATION DE DÉPART

(en grand groupe)

L'enseignante apporte un ourson en classe. Ensemble, les élèves et l'enseignante font la description de l'ourson. L'enseignante donne ensuite les raisons pour lesquelles elle affectionne cet ourson (souvenirs…) et explique les éléments qui font qu'elle y tient particulièrement.

SITUATION D'APPROFONDISSEMENT EN ÉCRITURE (fiche 1; individuellement, en atelier)

1. Les élèves font la description de leur ourson et l'écrivent sur un carton d'environ 10 cm sur 20 cm.
2. Les élèves écrivent un mot de passe sur le carton de la description.
3. Les élèves attachent une corde à leur carton pour qu'il puisse être passé autour du cou de leur ourson.
4. Les élèves donnent un nom à leur ourson et l'écrivent sur un autre petit carton.
5. Les élèves attachent une corde au carton portant le nom de l'ourson et passent le carton autour du cou de leur ourson.
6. Les élèves donnent à l'enseignante le nom de leur ourson ainsi que le mot de passe écrit sur le carton de la description. Ces indices serviront à la correction.

SCÉNARIO 23 (suite)

SITUATION D'APPROFONDISSEMENT EN LECTURE (fiche 2; individuellement, en atelier)

1. L'enseignante rassemble toutes les descriptions d'oursons et laisse au cou de chaque ourson le carton portant son nom.
2. Les élèves associent chaque description d'ourson à l'ourson correspondant et passent autour du cou de l'ourson le carton ayant la bonne description.
3. Après avoir fait vérifier le travail réalisé, les élèves se corrigent à l'aide du corrigé préparé par l'enseignante à partir des noms des oursons et des mots de passe.

SITUATION D'APPROFONDISSEMENT EN MATHÉMATIQUE (fiches 3, 5 et 6)

1. L'enseignante apporte deux oursons différents (grandeur, forme, grosseur...) ou prend les oursons de deux élèves.
2. Les élèves mesurent leur propre ourson (fiches 3 et 5).
3. Les élèves mesurent ensuite les deux autres oursons pour les comparer.

SITUATION D'ENRICHISSEMENT EN ORAL, EN ÉCRITURE ET EN ARTS PLASTIQUES (fiche 4)

1. Chaque élève invente un nouveau modèle d'ourson (fiche 4).
2. Les élèves font une affiche publicitaire annonçant leur nouveau produit:
   – une courte description
   – ses caractéristiques particulières
   – un dessin illustrant le produit
   – le prix de celui-ci
3. Les élèves présentent leur produit aux autres élèves de la classe et les incitent à se le procurer ou à le proposer à leurs parents comme cadeau de Noël.

Mon ourson préféré

Activité 1: Je décris mon ourson.

Matériel nécessaire:

Crayon
Ourson
Deux petits cartons de 20 cm sur 10 cm
Deux cordes de 45 cm

Marche à suivre:

1. Décris ton ourson. Parle de sa couleur, de sa forme, de sa grosseur, de ses yeux, de son museau, de ses oreilles...

2. Fais corriger ta description par un ou une camarade.

3. Fais corriger ta description par ton enseignante.

4. Écris ta description sur un petit carton.

5. Perce un trou dans le petit carton.

6. Passe une corde dans le trou et attache-la.

7. Trouve un mot de passe et écris-le sur le petit carton de ta description.

8. Donne un nom à ton ourson.

9. Écris ce nom sur un autre petit carton.

10. Passe ce carton autour du cou de ton ourson.

11. Donne à ton enseignante le nom de ton ourson ainsi que ton mot de passe.

Mon ourson préféré

Activité 2: J'associe les descriptions aux oursons.

Matériel nécessaire:

Oursons des élèves de la classe
Petits cartons des descriptions d'oursons

Marche à suivre:

1. Prends un petit carton.

2. Lis la description.

3. Observe les oursons.

4. Essaie d'associer la description à un ourson. Si tu réussis, passe le carton autour du cou de l'ourson. Sinon, prends un autre petit carton.

5. Continue ainsi jusqu'à ce que tu aies passé une description autour du cou de chaque ourson.

6. Relis chaque description en observant l'ourson correspondant.

7. Vérifie tes réponses en comparant, sur la feuille de ton enseignante, les mots de passe et les noms d'oursons.

8. Fais des corrections, s'il y a lieu.

Mon ourson préféré

Activité 3: Je mesure les oursons.

Matériel nécessaire:

Crayon
Ruban à mesurer
3 oursons
Fiches 5 et 6

Marche à suivre:

1. Avec ton ruban à mesurer, mesure les parties de ton ourson.

2. Note tes mesures sur la fiche 5.

3. Compare tes réponses avec celles d'un ou d'une camarade.

4. Fais des corrections, si cela est nécessaire.

5. Vérifie tes réponses sur le corrigé.

6. Mesure les deux autres oursons.

7. Note tes mesures sur la fiche 6.

8. Vérifie tes réponses sur le corrigé.

9. Note tes observations sur la fiche 6.

Mon ourson préféré

Activité 4: J'invente un modèle d'ourson.

Matériel nécessaire:

Crayon à mine
Crayons de couleur
Grand carton

Marche à suivre:

Tu inventes un nouveau modèle d'ourson. Tu dois en faire la promotion dans le but de vendre ton modèle. Tu fais une affiche publicitaire pour faire connaître ton produit, que tu auras à présenter aux autres élèves de la classe.

1. Invente ton modèle d'ourson.

2. Rédige une courte description de cet ourson.

3. Trouve ses caractéristiques particulières.

4. Fais le dessin de cet ourson.

5. Fixe le prix de l'ourson.

6. Ajoute d'autres éléments que tu juges importants.

7. Fais ton affiche publicitaire.

8. Prépare ta présentation orale. Il est important que tu présentes ce nouveau produit aux autres élèves dans le but de les inciter à se le procurer ou à le proposer à leurs parents comme cadeau de Noël.

9. Présente ton nouveau produit aux élèves de la classe.

Mesure-moi en centimètres (cm)

Tour de ma tête:

_____

Tour de ma taille:

_____

Longueur de
mon bras:

_____

Tour de mon
cou:

_____

Longueur de ma
jambe:

_____

Espace entre
mes deux yeux:

_____

Longueur de
mon pied:

_____

Ma grandeur:

_____

Grosseur de ma
jambe:

_____

Largeur de mes
oreilles:

_____

Compare les deux animaux en peluche

Couleur:		
Mesure en centimètres. Longueur des oreilles:		
Tour de tête:		
Hauteur:		
Longueur des bras:		
Largeur du museau:		
Tour de taille:		
Longueur de la queue:		
Tour du cou:		
Largeur des yeux:		
Largeur des oreilles:		

Note tes observations.

Ressemblances: _____

_____

_____

Différences: _____

_____

_____

Trente-quatre scénarios d'apprentissage **299**

SCÉNARIO 24

Mon émission préférée

TÂCHES À RÉALISER

1. Les élèves auront à présenter oralement leur émission préférée et à réaliser ensuite une affiche sur le personnage principal de cette émission.

2. Les élèves pourront aussi inventer la suite ou prévoir la fin de l'émission.

INTENTION

Analyser sommairement une émission, noter ces données et en communiquer le résultat.

MATIÈRES VISÉES

Français: oral, écriture, lecture
Arts plastiques

OBJECTIFS

Français:

Oral:
— Faire un discours à caractère expressif.
— Adapter le discours à l'intention du locuteur ou de la locutrice.

Écriture:
— Rédiger des textes à caractère expressif.
— Rédiger des textes à caractère informatif.

Lecture:
— Lire des textes à caractère incitatif.
— Lire des textes à caractère informatif.

Arts plastiques:
— Expliciter les thèmes de l'être et de l'environnement en fonction de leur image, dans des réalisations de mémoire.

PRÉPARATIFS

— Photocopier les fiches 1, 2 et 3 pour chaque élève.

SITUATION DE DÉPART

(en grand groupe)

Les élèves présentent oralement leur émission préférée (fiche 1).

SITUATION D'APPROFONDISSEMENT

(individuellement ou en équipe, en atelier)

Les élèves réalisent une affiche sur le personnage principal de leur émission préférée et la présentent ensuite à la classe (fiche 2).

SITUATION D'ENRICHISSEMENT

(individuellement, en atelier)

Les élèves inventent la suite ou la fin de cette émission et l'illustrent par une bande dessinée (fiche 3).

Mon émission préférée

Activité 1: Présentation orale d'une émission préférée

Matériel nécessaire:

Crayon
Feuille

Marche à suivre:

1. Pense à ton émission préférée.

2. Porte une attention spéciale:
   – aux décors
   – aux personnages
   – aux événements
   – à l'intrigue
   – à ses caractéristiques principales
   – aux effets spéciaux
   – à la violence…

3. Note ces éléments.

4. Pourquoi aimes-tu cette émission? Essaie de répondre à cette question.

5. Prépare-toi une courte présentation dans laquelle tu aborderas les sujets sur lesquels tu as réfléchi.

6. Pratique ta présentation devant un ou une camarade.

7. Présente le résultat de tes réflexions sur cette émission aux autres élèves de la classe.

Mon émission préférée

Activité 2: Réalisation d'une affiche sur le personnage
principal

Matériel nécessaire:

Crayon à mine
Crayons de couleur
Grand carton
Photo de ce personnage (si tu en trouves une)
Articles de magazines parlant de ce personnage

Marche à suivre:

1. Trouve le personnage principal de ton émission
    préférée.

2. Lis des articles sur ce personnage.

3. Pense à ce personnage:
    – son allure physique (sa beauté, sa grandeur, ses
      yeux, ses cheveux...)
    – son caractère (doux, agressif, conciliant...)
    – son habillement
    – ses loisirs
    – ses sports préférés

4. Note les informations que tu trouves importantes.

5. Cherche ce qui t'attire dans ce personnage.

6. Prépare ton affiche. Tu peux l'illustrer par des dessins
    ou des photos. Tu dois aussi y écrire des informations
    suffisantes pour faire connaître ton personnage.

7. Affiche ton travail sur un mur de la classe ou dans le
    corridor si tu le veux.

Mon émission préférée

Activité 3: La suite ou la fin de l'émission

Matériel nécessaire:

Feuille de 27 cm sur 42 cm pour la bande dessinée
Crayon à mine
Crayons de couleur
Règle

Marche à suivre:

1. Invente la suite ou la fin de l'émission.

2. Sépare cette suite ou cette fin en différentes parties.

3. Illustre cette suite ou cette fin sous forme de bande dessinée (feuille de 27 cm sur 42 cm).

4. Présente cette bande dessinée aux autres élèves de la classe.

SCÉNARIO 25

Tes achats de Noël

Classes: 2e, 3e, 4e, 5e et 6e année

TÂCHES À RÉALISER

1. Les élèves auront à choisir, dans le catalogue de Noël, des objets pouvant servir de cadeaux pour les membres de leur famille.
2. Après avoir fait leurs choix, les élèves auront à remplir un bon de commande.

INTENTION

Rendre les élèves capables de remplir un bon de commande tout en estimant la somme de leurs achats.

MATIÈRES VISÉES

Français: lecture, écriture
Mathématique

OBJECTIFS

Français:

Lecture:
- Lire des textes à caractère informatif.
- Lire des textes à caractère incitatif.

Écriture:
- Être capable de remplir un bon de commande.

Mathématique:
- Utiliser la calculatrice.

PRÉPARATIFS

- Se procurer des catalogues de Noël.
- Avoir des calculatrices à sa disposition.
- Photocopier les fiches 1, 2, 3, 3a et 4 pour chaque élève.

SITUATION DE DÉPART

(en grand groupe)

L'enseignante et les élèves réfléchissent sur les cadeaux:
- leur utilité
- les cadeaux fabriqués ou achetés
- les cadeaux dispendieux ou non
- des cadeaux qui font plaisir ou non

SITUATION D'APPROFONDISSEMENT

(individuellement, en atelier)

Les élèves réalisent l'activité de la fiche 1.

Les élèves préparent une commande de leurs achats de Noël.

SITUATION D'ENRICHISSEMENT

(individuellement, en atelier)

Les élèves inventent et fabriquent, avec du matériel recyclé, des bâtonnets ou de toute autre façon, un cadeau de Noël pour offrir à une personne qui leur est chère.

Les élèves font le plan de ce cadeau, dressent la liste du matériel nécessaire et expliquent la marche à suivre pour réaliser ce projet. Les autres élèves de la classe pourront se servir de celle-ci pour faire ce même objet.

Tes achats de Noël

Matériel nécessaire:

Catalogue de Noël
Fiche 2
Crayon à mine
Calculatrice

Marche à suivre:

Tu as 100 $ pour acheter des cadeaux de Noël à cinq personnes que tu aimes beaucoup. Tu décides de faire tes achats dans le catalogue de Noël.

1. Prépare ta commande.

2. Estime la valeur de tes achats.

3. Remplis ta commande.

4. Vérifie ton total à l'aide de la calculatrice avant de l'inscrire.

5. As-tu assez d'argent pour payer le total de ta commande?

6. Calcule la taxe, si tu as appris comment.

Feuille de commande

**Nom
et adresse:** _____

Nom   Prénom   Numéro et nom de rue

_____

Ville ou village   Code postal

Numéro de téléphone: _____

Numéro	Description de l'article	Page	Prix	
		Grand total:		

Fabrication d'un cadeau de Noël

Tu as à fabriquer un cadeau que tu pourras offrir à quelqu'un que tu aimes (tes parents, ton frère, ta sœur, ton ami ou amie) pour Noël.

Marche à suivre:

1. Observe, dans différentes revues de bricolage, magazines artistiques, catalogues ou autres, des objets ou œuvres d'art que tu pourrais fabriquer toi-même.

2. À partir des idées que tu as trouvées, invente-toi un objet à fabriquer. Ce peut être un objet utile ou un objet décoratif. Il doit convenir à la personne à qui tu penses l'offrir.

3. Sers-toi de matériaux de récupération, dans la mesure du possible.

   bâtonnets   contenants d'œufs
   laine   boîtes de conserve
   corde   papier de Noël
   sacs   cartons
   boîtes de carton   branches de pin, de sapin...
   rubans   pinces à linge
   boutons   feutrine
   tissus

4. Fais le plan de ton modèle sur un papier brouillon et fais-en un dessin.

5. Dresse la liste du matériel dont tu auras besoin pour faire ton montage.

6. Présente ton projet à ton enseignante.

7. Réalise ton projet.

8. Mets au propre la marche à suivre de ton projet afin de guider les autres élèves de la classe qui désirent le faire.

9. Présente ton projet à toute la classe en précisant les points suivants.

Présentation du projet

Nom de l'objet: _____

Utilité: _____

Matériel nécessaire: _____

_____

_____

Plan:

Marche à suivre: _____

_____

_____

_____

_____

Difficultés rencontrées: _____

_____

_____

SCÉNARIO 26

Un cadeau de Noël

TÂCHES À RÉALISER

1. Les élèves auront à choisir dans le catalogue de Noël un objet qu'il leur ferait plaisir de recevoir.
2. Les élèves devront trouver toutes les bonnes raisons qui les incitent à vouloir posséder cet objet.
3. Les élèves réaliseront une affiche sur cet objet, sur laquelle l'objet sera illustré et les avantages, mentionnés.
4. Les élèves auront à présenter cette affiche aux autres élèves de la classe ou peut-être à leurs parents.

INTENTION

Faire une affiche sur un objet choisi dans le catalogue de Noël.

MATIÈRES VISÉES

Sciences humaines
Français: oral, écriture, lecture
Formation personnelle et sociale

OBJECTIFS

Sciences humaines:
– Citer des situations de la vie quotidienne où l'on doit choisir entre divers biens de consommation.

Français:
Oral:
– Choisir et organiser des informations.
Lecture:
– Lire des textes à caractère informatif.
– Intégrer l'ordre alphabétique.
– Lire des textes à caractère incitatif.
Écriture:
– Rédiger des textes signifiants.
– Rédiger des textes à caractère informatif.

Formation personnelle et sociale:
– Nommer des objets considérés comme nécessaires, après en avoir vu la publicité.
– Expliquer les raisons qui ont poussé à faire certains de ces choix de consommation.

PRÉPARATIFS

– Se procurer quelques catalogues de Noël.
– Prévoir une feuille de 27 cm sur 42 cm par élève.
– Photocopier les fiches 1, 2 et 3 pour chaque élève.

SITUATION DE DÉPART

(en grand groupe)

L'enseignante amène les élèves à faire un retour sur les cadeaux de Noël déjà reçus.

Ensuite, l'enseignante et les élèves discutent de l'utilité et de l'utilisation de ces cadeaux.

SITUATION D'APPROFONDISSEMENT

(individuellement ou en équipe, en atelier)

Les élèves choisissent dans un ou plusieurs cahiers publicitaires ou dans un catalogue de Noël, 20 objets qu'il leur ferait plaisir de recevoir (fiche 1).

Les élèves écrivent le nom de ces objets sur la fiche 2 et font un crochet vis-à-vis de l'utilité et un autre vis-à-vis de l'utilisation. Les élèves répondent ensuite aux questions.

SITUATION D'ENRICHISSEMENT

(individuellement, en atelier)

Les élèves réalisent l'activité de la fiche 3.

Un cadeau de Noël

Matériel nécessaire:

Crayon
Catalogue de Noël ou
cahiers publicitaires montrant
divers objets (Zellers, Sears…)
Fiche 2

Marche à suivre:

1. Regarde le catalogue ou les cahiers publicitaires.

2. Choisis 20 objets que tu aimerais recevoir à Noël.

3. Écris par ordre alphabétique le nom de ces objets dans le tableau de la fiche 2.

4. Pour chacun de ces objets, met un crochet vis-à-vis de *utile* ou *inutile*. Mets-en un autre vis-à-vis de *peu*, *moyennement* ou *beaucoup*, selon l'utilisation que tu penses faire de cet objet.

5. Observe le tableau.

6. Réponds aux questions 1 à 4.

	Nom de l'objet	Utilité		Utilisation		
		Utile	Inutile	Peu	Moyennement	Beaucoup
Ex.	Jeu de cartes		√			√

1. Quel objet serait le plus utile pour toi? _____

2. Quel objet serait le moins utile pour toi? _____

3. Quel objet penses-tu utiliser le moins? _____

4. Quel objet penses-tu utiliser le plus? _____

Un cadeau de Noël

Matériel nécessaire:

Catalogue de Noël
Feuille de 27 cm sur 42 cm pour chaque élève
Crayon à mine
Crayons de couleur

Marche à suivre:

1. Choisis dans le catalogue de Noël un objet que tu aimerais recevoir à Noël.

2. Lis bien les informations données sur cet objet.

3. Trouve toutes les bonnes raisons qui t'incitent à vouloir recevoir cet objet.
   As-tu pensé...
   – au prix?
   – à la durabilité?
   – à l'utilité?
   – au temps d'utilisation?
   – aux autres avantages?

4. Réalise une affiche présentant l'objet que tu désires ainsi que tous les avantages que tu vois à posséder cet objet.

5. Présente ton affiche aux élèves de la classe ou à tes parents, si tu le veux.

6. Sache que cette démarche n'oblige en rien tes parents à te procurer cet objet.

SCÉNARIO 27

Ma famille

TÂCHE À RÉALISER

Décrire les membres de sa famille dans un petit livret.

INTENTION

Apprendre à mieux connaître les membres de sa famille et noter des informations sur sa famille afin de les garder en souvenir.

MATIÈRES VISÉES

Français: écriture et lecture
Arts plastiques
Sciences humaines
Formation personnelle et sociale

OBJECTIFS

Français:

Écriture:

- Apprendre le système de la conjugaison verbale: les finales en *e*, *s*, *x* et *ai*.
- Acquérir des automatismes pour un nombre de mots usuels susceptibles d'être utilisés en situation d'écriture.
- Utiliser la majuscule en début de phrase et le point à la fin de la phrase.
- Rédiger de courts messages.

Lecture:

- Lire des textes à caractère incitatif.

Arts plastiques:

- Expliciter les thèmes de l'être et de l'environnement en fonction de leur image dans des réalisations de mémoire.
- Représenter sa famille, son ami ou amie, ses camarades, les gens qui l'entourent.

Sciences humaines:

- Trouver des différences significatives en ce qui concerne les traits physiques d'une personne à divers moments de sa vie.

Formation personnelle et sociale:

- Faire le portrait de sa famille.
- Décrire chaque membre de sa famille.

PRÉPARATIFS

- Photocopier les fiches 1 à 7 pour chaque élève.
- Brocher les fiches 2 à 6 pour en faire un petit livret.

- Préparer une boîte ou une enveloppe contenant des papiers sur chacun desquels est écrit le nom d'un ou d'une élève.
- Prévoir un grand carton par élève.

SITUATIONS DE DÉPART

(en grand groupe)

1. L'enseignante commence un échange avec les élèves en posant la question suivante:
   - C'est quoi, pour toi, une famille?
   Elle dégage avec les élèves les différences entre les membres d'une même famille et entre les sortes de famille.
2. Jeu de devinettes:
   a) L'enseignante décrit oralement un ou une élève de la classe. Les élèves essaient de deviner de qui il s'agit.
   b) L'enseignante place dans une boîte ou une enveloppe tous les noms des élèves de la classe.
      - Chaque élève tire un nom de la boîte ou de l'enveloppe.
      - Chaque élève décrit oralement la personne dont le nom vient d'être tiré.
      - Les autres élèves essaient de deviner de qui il est question.

SITUATIONS D'APPROFONDISSEMENT

(individuellement, en atelier)

1. Les élèves remplissent leur livret sur leur famille.
2. Présentation des livrets: Chaque élève présente un membre de sa famille.
3. L'enseignante objective avec les élèves sur leurs apprentissages ainsi que sur les habiletés développées en regard des objectifs fixés.
4. L'enseignante fait un retour sur les différences entre les membres d'une même famille.
   - grandeur
   - couleur des cheveux
   - grosseur
   - Qu'est-ce qui change quand je grandis?

SITUATION D'ENRICHISSEMENT

(individuellement, en atelier)

Les élèves réalisent une affiche sur un membre de leur famille et la présentent à celui-ci (fiche 7).

Le livret de ta famille

Activité 1

Matériel nécessaire:

Livret (fiches 2 à 6)
Crayon à mine
Crayons de couleur

Marche à suivre:

1. Sur la première feuille du livret, dessine ta maison et écris ton nom et ton adresse.

2. Choisis un membre de ta famille.

3. Fais son portrait à l'endroit prévu à cette fin dans le livret.

4. Rédige sur une feuille brouillon une description de cette personne. Tu peux parler de son allure physique, de son caractère, de ses qualités, des sports qu'elle pratique et de ses loisirs préférés.

5. Avec un ou une camarade de classe, vérifie ton texte et corrige tes erreurs.

6. Fais vérifier ton texte par ton enseignante.

7. Copie ta description dans ton livret à l'endroit prévu à cet effet.

8. Continue ainsi pour tous les autres membres de ta famille.

Ma famille

Ma maison

_____

Mon adresse

Nom: _____

Rue: _____

Numéro d'appartement: _____

Municipalité: _____

Code postal: _____

_____

Mon portrait

Je me décris

_____

_____

_____

Ma maman

Sa description

_____

_____

_____

Mon papa

Sa description

_____

_____

_____

Ma sœur

Sa description

_____

_____

_____

Mon frère

Sa description

_____

_____

_____

_____

Ma grand-maman

Sa description

_____

_____

_____

Mon grand-papa

Sa description

_____

_____

_____

_____

_____

Sa description

_____

_____

_____

Une affiche sur un membre de ta famille

Activité 2

Matériel nécessaire:

Grand carton
Crayon à mine
Catalogue et magazines

Crayons de couleur
Photo (si cela est possible)

Marche à suivre:

1. Pense à un membre de ta famille que tu aimes beaucoup.

2. Regarde le catalogue et les magazines en pensant à cette personne.

3. Découpe les illustrations qui te font penser à elle:
   – objets préférés   – activités préférées
   – mets préférés...

4. Note sur une feuille brouillon les informations importantes que tu as sur cette personne:
   – ses goûts   – ses activités préférées
   – ses sports préférés   – ses loisirs

5. Prépare ton affiche. Mets la photo de la personne, si tu le veux. Tu peux aussi la dessiner. Note les informations que tu trouves les plus importantes. Décore ton affiche avec les illustrations que tu as découpées ou avec des dessins.

6. Apporte ton affiche à la maison et donne-la à la personne décrite sur l'affiche.

SCÉNARIO 28

La boîte à surprises

Classes: 2e et 3e année

TÂCHE À RÉALISER

Les élèves auront à composer un jeu de devinettes à partir de menus objets.

Le jeu de devinettes servant comme situation de départ les aidera à se faire une idée du jeu.

INTENTION

Rédiger un jeu de devinettes pour ensuite y jouer et le présenter à d'autres élèves.

MATIÈRE VISÉE

Français: écriture et lecture

OBJECTIFS

Français:

Écriture:
– Rédiger des textes signifiants.
– Rédiger des phrases signifiantes.

Lecture:
– Lire des textes à caractère informatif.
– Lire des textes à caractère incitatif.

PRÉPARATIFS

– Photocopier les petites cartes du jeu de devinettes (fiches 4 à 7) sur du carton.
– Découper les cartes ou les faire découper par les élèves.

– Plastifier les cartes pour une plus grande durabilité (facultatif).
– Préparer un jeu pour chaque groupe de quatre élèves, si toute la classe joue en même temps.
– Photocopier la fiche 8 en deux copies sur des cartons de couleurs différentes pour chaque élève.
– Photocopier le corrigé (fiche 9).
– Photocopier les fiches 1, 2 et 3 pour chaque élève.

SITUATION DE DÉPART

(en équipe, en atelier)

Les élèves jouent au jeu de devinettes (fiche 1).

SITUATION D'APPROFONDISSEMENT

(individuellement ou en équipe de 2, en atelier)

Première partie:
Les élèves bâtissent un jeu avec de menus objets (fiche 2).

Deuxième partie:
Les élèves jouent au jeu (fiche 3).

SITUATION D'ENRICHISSEMENT

(individuellement, en atelier)

Les élèves peuvent préparer un nouveau jeu avec d'autres en se servant des cases vides de la fiche 8.

Jeu de devinettes

Nombre de joueurs ou de joueuses: 2, 3 ou 4

Matériel nécessaire:

Cartons illustrant les différents
objets (24; fiches 4 et 5)
Cartons d'une couleur différente
donnant les descriptions (24; fiches 6 et 7)

Marche à suivre:

1. Un ou une élève brasse les cartons représentant les objets et les distribue également aux autres joueurs et joueuses.

2. Un ou une autre élève brasse le deuxième paquet de cartons et le place au centre de la table, face contre table.

3. À tour de rôle, les élèves tirent une carte du paquet et lisent la consigne. L'élève qui lit la consigne remet la carte à l'élève qui possède l'illustration de l'objet dont il est question.

4. L'élève qui reçoit la carte place celle-ci sur la carte correspondante.

5. L'élève qui est le premier ou la première à réussir à recouvrir toutes ses cartes d'une carte correspondante gagne la partie.

Première partie:

Fabrication du jeu

Matériel nécessaire:

24 petits objets
24 petits cartons de 5 cm sur 4,5 cm (fiche 8)
Boîte
Crayon

Marche à suivre:

1. Collecte de menus objets: Apporte un ou deux petits objets qui ne servent plus à la maison et qu'il est possible de donner à l'école. Chaque élève doit faire de même. Ces objets constitueront la boîte à surprises.

2. Rédige une description de ton ou de tes objets ou d'un autre objet de la boîte.

3. Écris ta ou tes descriptions chacune sur un petit carton de 5 cm sur 4,5 cm.

Le jeu doit comporter 12 ou 24 objets et les descriptions des objets.

Deuxième partie:

Jouer au jeu

Nombre de joueurs ou de joueuses: 2, 3 ou 4

Matériel nécessaire:

Cartons donnant les descriptions des objets

Petits objets de la boîte à surprises

Marche à suivre:

1. Un ou une élève distribue les objets également aux autres.

2. Un ou une autre élève brasse les cartons des descriptions et les place au centre de la table, face contre table.

3. Le jeu se joue de la même façon que le jeu de devinettes.

Jeu de devinettes

a Il est très important de garder notre école propre.	**b** Le samedi matin, j'aime bien regarder mes émissions préférées.	**c** Serge écrit une lettre à son amie Amélie.
d Pierrot s'est blessé en tombant de sa bicyclette.	**e** Éric aime beaucoup se promener à pied en hiver.	**f** Il faut se laver les mains avant les repas.
g Ce soir, David est très fatigué, il doit se coucher tôt.	**h** Grand-maman tricote un chandail pour Alexandra.	**i** Le 14 février, c'est la fête de la Saint-Valentin.
j C'est la journée du lavage à la maison.	**k** Avant de se coucher, Luc prend son bain.	**l** Sébastien aime bien manger de la soupe.

m J'aimerais que tu fasses un trait au bas de ton travail.	n Ce matin, papa a décidé de faire des tartes.	o Au cours de l'après-midi, maman prend une tasse de café.
p Mon frère a décidé de fendre du bois	q Le matin, j'aime beaucoup prendre une douche.	r Annie a décousu son gilet, elle doit le recoudre.
s Il fait noir, allume la lumière.	t Élise est experte en bricolage.	u Martin adore faire de la chaloupe sur le lac.
v Manon a de la difficulté à bien voir au tableau.	w Vite, Valérie, il est temps de te lever.	x Maman et papa iront à la chasse en fin de semaine.

Jeu de devinettes

Corrigé

1. i	7. k	13. l	19. g
2. s	8. n	14. v	20. r
3. p	9. m	15. o	21. e
4. t	10. a	16. w	22. q
5. u	11. f	17. h	23. b
6. x	12. j	18. d	24. c

SCÉNARIO 29

Une course automobile

TÂCHE À RÉALISER

Les élèves auront à lancer des cubes et à additionner, à soustraire ou à multiplier les nombres représentés par chacun des cubes.

INTENTION

Faire des opérations mathématiques.

MATIÈRES VISÉES

Mathématique
Français: lecture

OBJECTIFS

Mathématique:
- Effectuer mentalement ou par écrit des additions et des soustractions de nombres naturels inférieurs à 1000.
- Effectuer mentalement ou par écrit des opérations ou des suites d'opérations sur des nombres naturels.

Français:

Lecture:
- Lire des textes à caractère incitatif.

PRÉPARATIFS

- Préparer des cubes représentant des nombres en tenant compte du niveau des élèves (fiche 2).
- Photocopier les fiches correspondant aux difficultés des élèves (fiches 3, 4, 5 ou 6).

EXPLICATIONS

Les élèves effectuent des opérations à l'aide des nombres inscrits sur les cubes. Il peut y avoir plusieurs cubes de la même couleur. Le fait que ceux-ci ont des nombres différents offre plusieurs possibilités d'opérations. Cette activité peut être adaptée à plusieurs degrés de difficulté. Elle peut servir à faire des additions, des soustractions ou des multiplications de niveaux différents. Les élèves plus faibles peuvent utiliser des nombres plus petits et les élèves qui ont plus de facilité, des nombres plus grands.

SITUATION DE DÉPART
(individuellement, en atelier)

Les élèves effectuent diverses opérations en manipulant du matériel concret et mémorisent un certain nombre d'opérations.

SITUATION D'APPROFONDISSEMENT
(individuellement ou en équipe, en atelier)

Les élèves réalisent l'activité «Une course automobile» (fiches 1 à 6).

Les fiches et les cubes sont choisis en fonction de la difficulté qu'éprouve l'élève. Ils peuvent même différer selon les élèves d'une même classe.

SITUATION D'ENRICHISSEMENT
(individuellement, en atelier)

Les élèves préparent d'autres cubes et font d'autres exercices avec des nombres plus grands.

Une course automobile

Matériel nécessaire:

2 cubes pour les activités des fiches 3, 4 ou 6
3 cubes pour les activités de la fiche 5
Copie de la fiche

Marche à suivre:

1. Lance les cubes.

2. Inscris les nombres donnés par les cubes sur les autos de ta feuille.

3. Effectue l'opération.

4. Inscris ta réponse à la droite des autos.

5. Fais de même pour les séries d'autos qui suivent.

6. Fais l'exercice avec un ou une camarade, si tu le désires.

7. Le gagnant ou la gagnante sera celui qui aura obtenu le plus de points à la fin de la course.

Une course automobile

Les cubes peuvent être faits par les élèves et être de couleurs différentes, selon le degré de difficulté.

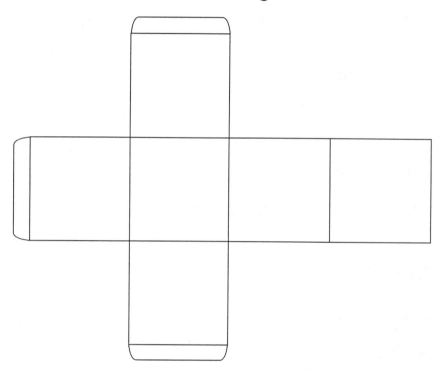

Ex.: cubes roses: nombres dans les milliers

cubes rouges: nombres dans les centaines

cubes verts: nombres de 30 à 100

cubes blancs: nombres de 10 à 30

cubes jaunes: nombres de 1 à 10

cubes bleus: points représentant les nombres

La course

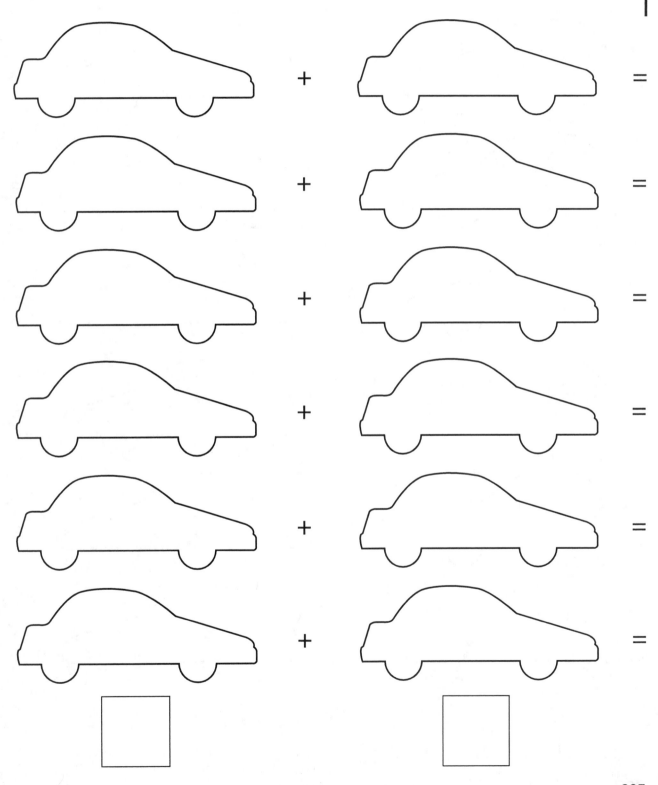

Trente-quatre scénarios d'apprentissage **335**

La course

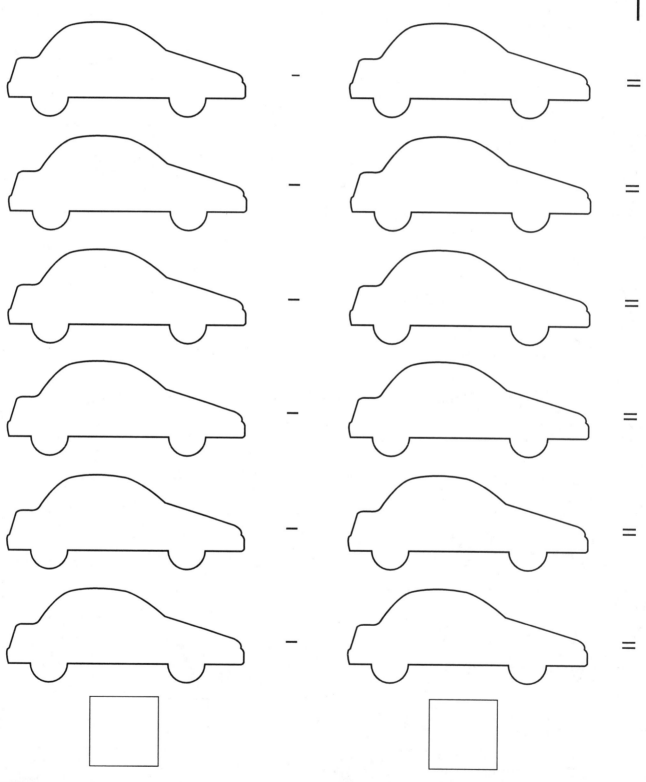

La course

[voiture] + [voiture] + [voiture] =

[voiture] + [voiture] + [voiture] =

[voiture] + [voiture] + [voiture] =

[voiture] + [voiture] + [voiture] =

[voiture] + [voiture] + [voiture] =

[voiture] + [voiture] + [voiture] +

[ ]   [ ]   [ ]

La course

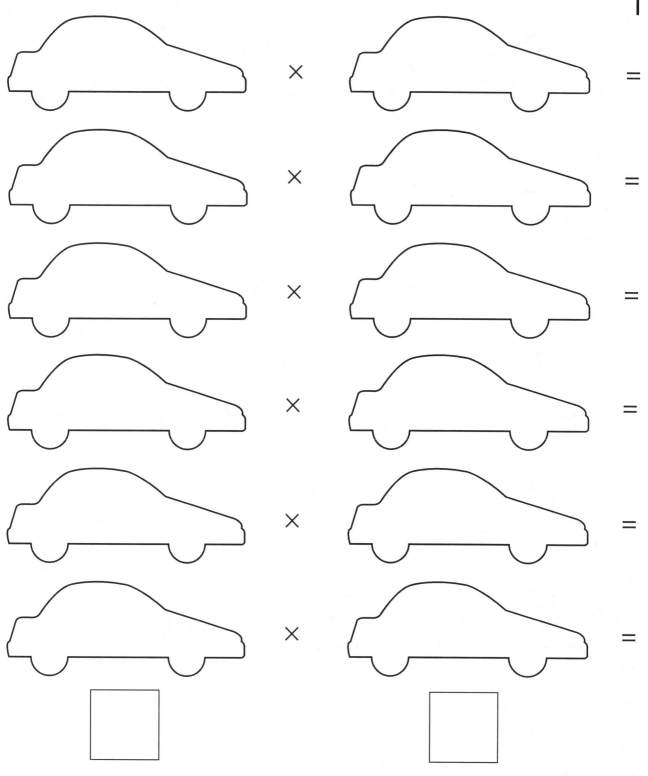

SCÉNARIO 30

Je cherche et je trouve (jeu)

SITUATION D'APPROFONDISSEMENT OU D'ENRICHISSEMENT (en équipe de 2, en atelier)

TÂCHE À RÉALISER

Les élèves auront à placer sur la feuille quadrillée leurs moyens de transport et deviner l'endroit où se trouvent les moyens de transport de leur adversaire. Ce jeu se joue sur le même principe que le jeu de bataille navale.

INTENTION

Jouer au jeu pour se familiariser avec les coordonnées et les notions de nord-sud, est-ouest.

MATIÈRES VISÉES

Sciences humaines
Mathématique
Français: lecture

OBJECTIFS

Sciences humaines:
- Identifier les quatre points cardinaux sur un plan ou sur une carte.

Mathématique:
- Se familiariser avec les graphiques sagittaux et cartésiens.

Français:

Lecture:
- Lire des textes à caractère incitatif.

PRÉPARATIFS

- Photocopier les feuilles quadrillées (fiches 2 et 2a) pour chaque élève ou les photocopier sur des cartons et les plastifier.
- Prévoir une série de réglettes de 1, 2, 3, 4 et 5 cm par élève.
- Prévoir des crayons acétates, si cela est nécessaire.
- Photocopier les fiches 1 et 1a pour chaque élève.

Je cherche et je trouve (jeu)

Nombre de joueurs ou de joueuses: 2

Élément important: La feuille quadrillée peut représenter une ville quelconque.

Matériel nécessaire:

2 copies des feuilles quadrillées (fiches 2 et 2a)
Crayon acétate, si les feuilles quadrillées sont plastifiées
Série de réglettes de 1, 2, 3, 4 et 5 cm par élève

Marche à suivre:

Ce jeu se joue sur le même principe que le jeu de bataille navale.

1. Chaque joueur ou joueuse place devant lui une copie des feuilles quadrillées.

2. Un écran doit séparer les deux élèves pour les empêcher de voir le jeu de l'autre.

3. Chaque joueur ou joueuse place ses réglettes représentant chacune un moyen de transport dans la partie quadrillée de la fiche 2. Il ou elle coche ensuite les cases correspondant aux moyens de transport qu'il a placés.

4. Chaque joueur ou joueuse doit essayer de deviner où se cachent les moyens de transport de son adversaire en lui donnant des coordonnées.

Ex.: Le joueur ou la joueuse 1 demande au joueur ou à la joueuse 2 si un moyen de transport se cache au 4 Est B Sud. Si c'est le cas, l'adversaire lui dit: «Touché» et fait alors un X rouge sur cette case. Sinon, l'adversaire fait un X noir. Les X se font dans la partie quadrillée de la fiche 2a.

5. Lorsque l'adversaire touche un moyen de transport, le joueur ou la joueuse concernée fait un petit point sur la partie de la réglette touchée par l'adversaire.

6. Lorsque toutes les parties de la réglette du moyen de transport en question ont été touchées, le joueur ou la joueuse avertit son adversaire que l'auto, l'autobus ou autre moyen de transport a été trouvé complètement.

7. L'élève qui est le premier ou la première à trouver tous les moyens de transport de son adversaire gagne la partie.

Fiche **2**

Je cherche et je trouve

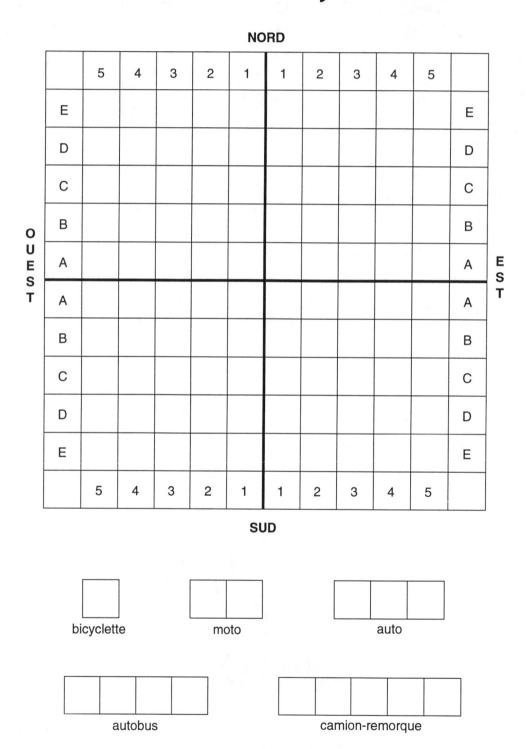

NORD

	5	4	3	2	1	1	2	3	4	5	
E											E
D											D
C											C
B											B
A											A
A											A
B											B
C											C
D											D
E											E
	5	4	3	2	1	1	2	3	4	5	

OUEST — EST

SUD

bicyclette

moto	

auto		

autobus			

camion-remorque				

Je cherche et je trouve

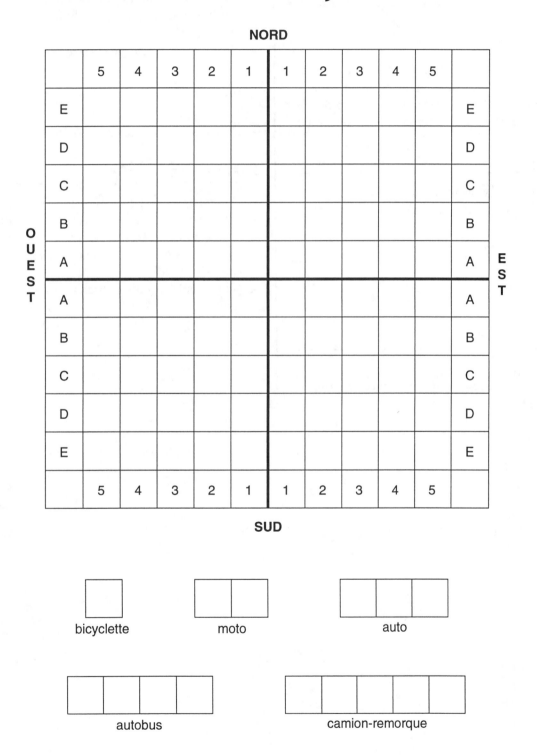

	5	4	3	2	1	1	2	3	4	5	
E											E
D											D
C											C
B											B
A											A
A											A
B											B
C											C
D											D
E											E
	5	4	3	2	1	1	2	3	4	5	

NORD (top) · **SUD** (bottom) · **OUEST** (left) · **EST** (right)

bicyclette

moto

auto

autobus

camion-remorque

SCÉNARIO 31

Jouons avec les nombres

SITUATION D'APPROFONDISSEMENT OU D'ENRICHISSEMENT (en équipe, en atelier)

TÂCHE À RÉALISER

Les élèves auront à jouer au jeu sur les nombres et à réussir à faire un tic-tac-to en associant les consignes données par le meneur ou la meneuse de jeu à un dessin représentant des nombres sur leur carte.

INTENTION

Mieux connaître la valeur du nombre tout en essayant de faire un tic-tac-to.

MATIÈRES VISÉES

Mathématique
Français: lecture

OBJECTIFS

Mathématique:
– Composer et décomposer un nombre exprimé en base 10.

– Arrondir un nombre à un ordre de grandeur donné.
– Déterminer, d'après sa position, la valeur d'un chiffre ou d'un groupe de chiffres dans un nombre.
– Identifier la valeur de chaque position dans un nombre.

Français:
Lecture:
– Lire des textes à caractère incitatif.

PRÉPARATIFS

– Photocopier les fiches 12 à 20 sur des cartons.
– Photocopier les fiches 2 à 11 sur des cartons d'une autre couleur et découper les cases. (Les cartes peuvent être plastifiées.)
– Prévoir des jetons.
– Photocopier le corrigé (fiche 21) pour chaque équipe.
– Photocopier les fiches 1 et 1a pour chaque élève.

Jouons avec les nombres

Nombre de joueurs ou de joueuses: 3 à 9, plus un meneur ou une meneuse de jeu

Matériel nécessaire:

Grandes cartes (fiches 12 à 20)
Petites cartes (90)
Jetons

Marche à suivre:

1. Chaque joueur ou joueuse se choisit une grande carte.

2. Le meneur ou la meneuse de jeu ne peut pas jouer.

3. Les petites cartes sont placées dans une boîte ou en paquet, face contre table, devant le meneur ou la meneuse de jeu.

4. Le meneur ou la meneuse de jeu tire une petite carte et lit la consigne.

5. Chaque joueur ou joueuse qui a la bonne réponse place un jeton sur sa carte.

6. Le meneur ou la meneuse de jeu continue ainsi jusqu'à ce qu'un joueur ou une joueuse fasse un tic-tac-to.

7. Après chaque tour, le meneur ou la meneuse de jeu place les petites cartes devant lui en essayant de les regrouper par dizaines pour faciliter la vérification.

8. Le joueur ou la joueuse qui fait un tic-tac-to le manifeste aux autres et donne au meneur ou à la meneuse de jeu les numéros indiqués à droite dans les cases gagnantes.

9. Le meneur ou la meneuse de jeu vérifie sur les petites cartes si les numéros mentionnés ont bel et bien été choisis.

1 Je viens immédiatement après le nombre 2999.	2 Je viens immédiatement après le nombre 399.	3 J'ajoute une centaine à mon nombre et j'obtiens 2 unités de mille.
4 Mon nombre a 90 dizaines en tout.	5 J'ai 10 centaines et une unité.	6 Enlève une unité à l'unité de mille et tu obtiens mon nombre.
7 Mon nombre a 4 unités de mille et 10 unités.	8 Enlève 7 dizaines à la centaine et tu obtiens mon nombre.	9 Je vais 100 fois dans l'unité de mille.

10	11	12
Enlève 8 centaines à l'unité de mille et tu obtiens mon nombre.	Enlève 999 unités à l'unité de mille et tu obtiens mon nombre.	Ajoute 3 unités de mille à mon nombre et tu obtiens 10 000.
13	**14**	**15**
Mon nombre a une unité de mille et une unité.	Je suis bâti avec 104 dizaines.	Je suis 100 fois plus petit que l'unité de mille.
16	**17**	**18**
Dans mon nombre, il y a 103 dizaines en tout.	Je suis composé de 11 centaines.	Ajoute 6 dizaines à mon nombre et tu obtiens une centaine.

19	20	21
Ajoute 3 dizaines à mon nombre et tu obtiens une centaine.	Ajoute 9 centaines à mon nombre et tu obtiens 1000.	Ajoute une unité à mon nombre et tu obtiens le $\frac{1}{10}$ de la centaine.
22	**23**	**24**
Je suis bâti avec 10 groupes de 100 et 100 groupes de 10.	Je suis 10 fois dans la centaine et 100 fois dans l'unité de mille.	Mon nombre a une unité de mille, une centaine et une dizaine.
25	**26**	**27**
Je regroupe 5 dizaines et 50 unités dans mon nombre.	Je suis compris autant de fois dans la centaine que la dizaine dans l'unité de mille.	Je suis bâti avec 4 dizaines et 4 unités.

28 Ajoute une unité à mon nombre et tu auras le $\frac{1}{10}$ de la centaine.	**29** Je suis le $\frac{1}{10}$ de 10 000.	**30** J'ai 10 groupes de 100 et un groupe de 10.
31 J'ai 20 groupes de 100 et 9 unités.	**32** Je suis le $\frac{1}{10}$ de l'unité de mille.	**33** Je suis bâti avec 200 groupes de 10 et 9 unités.
34 Je suis les $\frac{3}{10}$ de la centaine.	**35** Je suis bâti avec 60 groupes de 10.	**36** Je suis bâti avec 11 groupes de 100 et une dizaine.

37	38	39
Je suis bâti avec 300 dizaines.	Mon nombre a 10 centaines et 10 unités.	Mon nombre a 2 unités de mille et 9 dizaines.
40	**41**	**42**
Ajoute une unité à mon nombre et tu auras le $\frac{1}{10}$ de la centaine.	J'ai 4 groupes de 100 et 4 groupes de 10.	J'ai 11 groupes de 100 et un groupe de 10.
43	**44**	**45**
J'ai 30 groupes de 100.	J'ai 20 groupes de 100 et 9 unités.	Je suis le $\frac{1}{100}$ de l'unité de mille.

46 Arrondis le nombre 3873 à l'unité de mille près et tu obtiens mon nombre.	47 Je suis le nombre qui a une unité de mille et une unité.	48 Je peux faire 10 centaines ou 100 dizaines.
49 Arrondis le nombre 1038 à la dizaine près et tu obtiens mon nombre.	50 Arrondis le nombre 4459 à l'unité de mille près et tu obtiens mon nombre.	51 Arrondis le nombre 1578 à la centaine près et tu obtiens mon nombre.
52 Arrondis le nombre 1109 à la dizaine près et tu obtiens mon nombre.	53 Je suis les $\frac{3}{10}$ de l'unité de mille.	54 Arrondis le nombre 1899 à l'unité de mille près et tu obtiens mon nombre.

55	56	57
Je suis composé de 40 dizaines.	Il y a 110 dizaines en tout dans mon nombre.	Je suis le nombre qui a 2 unités de mille et 9 unités.
58	59	60
Ajoute 40 dizaines à mon nombre et tu as le nombre 1000.	Ajoute 10 dizaines à mon nombre et tu obtiens le nombre 1000.	Je suis bâti avec 800 dizaines.
61	62	63
Je suis bâti avec 44 dizaines.	Je suis bâti avec 400 unités.	Mon nombre a une unité de mille, une centaine et une dizaine.

64 Ajoute une unité à mon nombre et tu obtiens 2050.	65 Ajoute une dizaine à mon nombre et tu obtiens 1010.	66 Mon nombre est composé de 60 dizaines.
67 Mon nombre est composé de 111 dizaines et de une unité.	68 Je suis composé de 700 dizaines.	69 Je suis composé de 403 dizaines.
70 Mon nombre est composé de 201 dizaines.	71 Je suis dix fois dans la centaine.	72 Je suis 10 fois dans l'unité de mille.

73 Mon nombre a 4 centaines.	74 Si j'ajoute une unité de mille à mon nombre, j'obtiens 5000.	75 Enlève une unité de mille à 10 000 et tu obtiens mon nombre.
76 Je suis bâti avec 100 dizaines.	77 Je suis le nombre qui a 100 unités.	78 Mon nombre a une unité de mille et une dizaine.
79 Je suis le nombre qui a 10 unités.	80 Mon nombre est bâti avec 20 dizaines.	81 Mon nombre a une unité de mille, une centaine et 10 unités.

82 Enlève 96 dizaines à l'unité de mille et tu obtiens mon nombre.	83 Arrondis le nombre 288 à la centaine près et tu obtiens mon nombre.	84 Ajoute 5 centaines à mon nombre et tu obtiens l'unité de mille.
85 Arrondis le nombre 1623 à la centaine près et tu obtiens mon nombre.	86 Arrondis le nombre 1109 à la dizaine près et tu obtiens mon nombre.	87 Je suis les $\frac{3}{10}$ de la centaine ou les $\frac{3}{100}$ de l'unité de mille.
88 Enlève 600 à 5 unités de mille et tu obtiens mon nombre.	89 Enlève 7 unités et 9 dizaines à l'unité de mille et tu obtiens mon nombre.	90 J'ai 2 unités de moins que 3 unités de mille.

89 903	27 44	88 4400
35 58 66 600	67 1111	69 4030
3 1900	31 33 44 57 2009	2 55 62 73 400

30 38 78 1010	39 2090	9 15 23 45 71 79 10
31 33 44 57 2009	29 48 65 76 1000	8 34 87 30
14 49 1040	22 54 2000	17 56 1100

1 <div align="right">11 26</div>	**100** <div align="right">20 25 32 72 77</div>	**1110** <div align="right">24 36 42 52 63 81 86</div>
2000 <div align="right">22 54</div>	**70** <div align="right">19</div>	**200** <div align="right">10 80</div>
9 <div align="right">21 28 40</div>	**10** <div align="right">9 15 23 45 71 79</div>	**1000** <div align="right">29 48 65 76</div>

1 37 43 3000	20 25 32 72 77 100	2 55 62 73 400
3 1900	6 999	5 13 47 1001
29 48 65 76 1000	4 59 900	7 4010

46 50 74 4000	20 25 32 72 77 100	14 49 1040
30 38 78 1010	8 34 87 30	51 85 1600
29 48 65 76 1000	24 36 42 52 63 81 86 1110	22 54 2000

16 1030	17 56 1100	18 82 40
20 25 32 72 77 100	14 49 1040	29 48 65 76 1000
12 68 7000	5 13 47 1001	9 15 23 45 71 79 10

60 8000	24 36 42 52 63 81 86 1110	10 80 200
53 83 300	41 61 440	31 33 44 57 2009
35 58 66 600	8 34 87 30	19 70

75 9000	53 83 300	2 55 62 73 400
18 82 40	84 500	27 44
67 1111	8 34 87 30	51 85 1600

1110	24 36 42 52 63 81 86	2010	70	2049	64

| 44 | 27 | 600 | 35
58
66 | 200 | 80
10 |

| 2998 | 90 | 900 | 4
59 | 4000 | 46
50
74 |

Corrigé

1. 3000	24. 1110	47. 1001	70. 2010
2. 400	25. 100	48. 1000	71. 10
3. 1900	26. 1	49. 1040	72. 100
4. 900	27. 44	50. 4000	73. 400
5. 1001	28. 9	51. 1600	74. 4000
6. 999	29. 1000	52. 1110	75. 9000
7. 4010	30. 1010	53. 300	76. 1000
8. 30	31. 2009	54. 2000	77. 100
9. 10	32. 100	55. 400	78. 1010
10. 200	33. 2009	56. 1100	79. 10
11. 1	34. 30	57. 2009	80. 200
12. 7000	35. 600	58. 600	81. 1110
13. 1001	36. 1110	59. 900	82. 40
14. 1040	37. 3000	60. 8000	83. 300
15. 10	38. 1010	61. 440	84. 500
16. 1030	39. 2090	62. 400	85. 1600
17. 1100	40. 9	63. 1110	86. 1110
18. 40	41. 440	64. 2049	87. 30
19. 70	42. 1110	65. 1000	88. 4400
20. 100	43. 3000	66. 600	89. 903
21. 9	44. 2009	67. 1111	90. 2998
22. 2000	45. 10	68. 7000	
23. 10	46. 4000	69. 4030	

SCÉNARIO 32

Le jongleur

SITUATION DE CONSOLIDATION OU D'APPROFONDISSEMENT

(en équipe de 2, de 3 ou de 4, en atelier)

TÂCHES À RÉALISER

1. Les élèves auront à essayer de comprendre le jeu en lisant les instructions pour pouvoir y jouer.
2. Les élèves auront à jouer avec les nombres en calculant mentalement.
3. Les élèves devront réussir à se départir du plus grand nombre de cartes possible.

INTENTION

Comprendre un texte expliquant des instructions et se pratiquer à calculer mentalement le plus rapidement possible.

MATIÈRES VISÉES

Mathématique
Français: lecture

OBJECTIFS

Mathématique:
– Effectuer mentalement ou par écrit des opérations (additions, soustractions, multiplications et divisions).

Français:
Lecture:
– Lire des textes à caractère incitatif.

PRÉPARATIFS

– Photocopier les fiches 2, 3 et 4 sur des cartons.
– Découper les cartes ou les faire découper par les élèves.
– Plastifier les cartes pour une plus grande durabilité (facultatif).
– Photocopier les fiches 1 et 1a pour chaque élève.

Le jongleur (jeu)

Le jeu se joue avec 2, 3 ou 4 opérations
(addition, soustraction, multiplication ou division).

Nombre de joueurs ou de joueuses: 2, 3 ou 4

Matériel nécessaire:

Cartes du jeu (81)

Marche à suivre:

1. Un joueur ou une joueuse mêle les cartes.

2. Il ou elle remet sept cartes à chaque joueur ou joueuse, à tour de rôle, place le reste des cartes face contre table, retourne la carte du dessus et la place à côté du jeu.

3. Chaque joueur ou joueuse place devant lui ses sept cartes, face découverte.

4. L'élève qui joue en premier regarde la carte découverte au centre de la table. Si le jeu se joue avec l'addition et la soustraction, l'élève additionne et soustrait les deux nombres en gardant en tête les deux résultats.

5. L'élève vérifie alors dans ses cartes si l'une d'elle contient deux nombres qui, en les additionnant ou en les soustrayant, donnent les résultats de la carte du centre.

6. Si l'élève a une telle carte, il ou elle la joue. Sinon, l'élève tire une carte du paquet au centre de la table et la place avec ses autres cartes. Et c'est maintenant au tour du joueur ou de la joueuse qui suit de jouer.

8. Si personne ne peut jouer de carte, un joueur ou une joueuse tourne une autre carte du paquet du centre sur la table et le jeu continue.

9. L'élève qui est le premier ou la première à réussir à jouer toutes ses cartes ou qui a le moins de cartes à la fin de la partie gagne.

Note: Les cartes hachurées sont des cartes passe-partout et l'élève qui les a peut toujours les utiliser en précisant les deux chiffres qu'il ou elle veut lui attribuer; ceci pour permettre à l'autre joueur ou joueuse de continuer.

10	**10**	**10**	**10**	**10**	**10**	**9**	**9**	**9**
6	**5**	**4**	**3**	**2**	**1**	**9**	**8**	**7**
9	**9**	**9**	**9**	**9**	**9**	**8**	**8**	**8**
6	**5**	**4**	**3**	**2**	**1**	**8**	**7**	**6**
8	**8**	**8**	**8**	**8**	**7**	**7**	**7**	**7**
5	**4**	**3**	**2**	**1**	**7**	**6**	**5**	**4**

12	12	12	12	12	12	12	12	12
12	11	10	9	8	7	6	5	4
12	12	12	11	11	11	11	11	11
3	2	1	11	10	9	8	7	6
11	11	11	11	11	10	10	10	10
5	4	3	2	1	10	9	8	7

7	7	7	6	6	6	6	6	
3	2	1	6	5	4	3	2	
6	5	5	5	5	5	4	4	
1	5	4	3	2	1	4	3	
4	4	3	3	3	2	2	1	
2	1	3	2	1	2	1	1	

Tic-tac-to

Le jeu de tic-tac-to est un jeu ouvert parce qu'il peut se jouer pour atteindre différents objectifs des programmes, surtout en matière de connaissances.

Ex.:
- Mots d'orthographe
- Complémentaires
- Produits de facteurs…

L'exemple qui suit vise l'acquisition de mots d'orthographe d'usage.

Tic-tac-to

Nombre de joueurs ou de joueuses: 2

Matériel nécessaire:

Feuille de jeu
Stylo rouge
Stylo bleu
Mots d'orthographe

Ces mots peuvent être écrits sur de petits cartons et placés dans une boîte, ou l'élève peut tout simplement se servir de sa feuille de mots d'orthographe ou du cahier dans lequel sont écrits ses mots d'orthographe.

Marche à suivre:

1. Un ou une élève se prend un crayon rouge et l'autre, un bleu.

2. L'élève qui joue en premier tire un mot et le dicte à l'autre.

3. Le ou la partenaire écrit le mot à l'endroit de son choix sur la feuille de jeu.

4. L'élève vérifie l'orthographe du mot. Si le mot est bien écrit, la case ne peut plus être utilisée. Dans le cas contraire, le mot est annulé et la case reste libre.

5. L'autre élève dicte à son tour un mot à son ou à sa partenaire, puis en vérifie l'orthographe.

6. L'élève qui est le premier ou la première à faire un tic-tac-to avec des mots bien orthographiés gagne la partie.

TIC	TAC	TO

SCÉNARIO 34

Dominos à histoires

Tâche à réaliser

Les élèves auront à rédiger une histoire en groupe à partir de cartons comprenant deux illustrations (dominos).

Intention

S'amuser en rédigeant une histoire dans le but de développer sa créativité.

Matières visées

Français: oral, écriture et lecture
Plusieurs autres, selon l'exploitation

Objectifs

Français:

Oral:
- Faire un discours à caractère poétique ou ludique.

Écriture:
- Rédiger des textes variés en respectant les exigences de la situation de communication et du fonctionnement de la langue.
- Rédiger des phrases signifiantes.
- Rédiger des textes signifiants.
- Rédiger des textes à caractère expressif, poétique, ludique.

Lecture:
- Lire des textes à caractère incitatif.

Préparatifs

- Préparer les cartons pour les dominos. Le jeu pourrait comprendre 19 cartons ou plus, comportant deux dessins ou illustrations. Les dessins peuvent être faits par les élèves. Ils devront être de quatre couleurs différentes (jaune, rouge, vert, bleu; une couleur par dessin). La fiche 2 propose des suggestions de dessins et de couleurs. Chaque carton a des illustrations de deux couleurs différentes.
- Photocopier les fiches 1 et 1a pour chaque élève.

Dominos à histoires

Le jeu consiste à rédiger une histoire en groupe.

Matériel nécessaire:

Cartons-dominos

Marche à suivre:

1. Les élèves s'assoient en cercle par terre.

2. L'enseignante distribue un carton à chaque élève. Si le nombre de cartons est insuffisant, une partie du groupe regarde l'autre jouer ou réalise d'autres activités.

3. Le jeu se joue sur le même principe que le jeu de dominos. Cependant, c'est la couleur qui détermine qui pourra placer le prochain carton.

4. L'élève qui peut commencer une histoire avec les deux illustrations de son carton place son carton par terre, au centre du groupe, et invente le début de l'histoire.

Ex.: Il était une fois un petit garçon qui se promenait sur la rue par une journée ensoleillée...

(Le carton du petit garçon est rouge et celui du soleil est jaune.)

5. L'élève dont le carton a du jaune ou du rouge peut continuer l'histoire. Il ou elle place alors son carton à côté du premier en ajoutant des éléments à l'histoire déjà commencée. L'histoire doit cependant toujours être reprise à partir du début.

...Il avait son baladeur, et il écoutait une très belle musique. Comme il passait devant un dépanneur, il décida de s'offrir une bonne crème glacée...

(Le carton des notes est rouge et celui du cornet est vert)

Le jeu continue ainsi jusqu'à ce que l'enseignante avertisse le groupe qu'il faut penser à la conclusion (après une dizaine de cartons). L'enseignante précise qu'il restera seulement deux cartons à jouer.

Dominos à histoires

Suggestions d'illustrations à utiliser pour faire les dominos

Gros cercle avec le mot «gros» (vert) / nez (jaune)

Pluie (bleu) / maison (jaune)

Boîte (jaune) / oiseau (bleu)

Jeu (jaune) / cerf-volant (bleu)

Cœur avec flèche (rouge) / balai (bleu)

Sapin (vert) / nuage (bleu)

Œil (jaune) / pomme (vert)

Montagne (rouge) / voilier (bleu)

Globe terrestre ou terre (bleu) / cloche (rouge)

Figure souriante (jaune) / point avec le mot «petit» (vert)

Fusée (rouge) / éclairs (jaune)

Notes de musique (rouge) / cornet de crème glacée (vert)

Plusieurs sapins (vert) / quartier de lune (jaune)

Petite fille (jaune) / poisson (rouge)

Route (rouge) / tulipe (vert)

Bonbon (bleu) / sorcière sur un balai (rouge)

Étoiles (vert) / lac (bleu)

Figure triste (vert) / feuilles d'arbre (rouge)

Soleil (jaune) / petit garçon (rouge)

Références

1000 jeux pour apprendre, Montréal, Sélection du Reader's Digest, 1978, 432 p.

AMYOT-LARAMÉE, et Denise LALIBERTÉ. Collection «Moi aussi je lis», Série A, Drummondville, Commmission scolaire des Chênes, 1990.

ARCHAMBAULT, Jean, Marie-Patricia GAGNÉ et Georges OUELLET. *Réussir à l'école*, Montréal, CECM, 1986, 61 p.

Commission scolaire Baldwin-Cartier. *Recueil d'activités d'enrichissement*, Série A, sous la supervision pédagogique de Carole Morelli, Laval, Les Éditions Le Mascaret, 1992.

BARFF, Ursula, et Jutta MAIER. *Papier-carton*, Paris, Casterman, 1989, 224 p.

BARWELL, Ève. *À quoi jouer — 51 jeux de tous genres*, Aartselaar (Belgique), Chantecler, 1978, 64 p.

BAULU-MAC WILLIE, Mireille et Réal SAMSON. *Apprendre, c'est un beau jeu*, Montréal, Les Éditions de la Chenelière, 1990, 216 p.

BILODEAU, France, et Monique DAMIENS. *Les Ateliers créatifs*, Montréal, Éditions Études vivantes, 1987.

BLANCHETTE, L. Monette et P. TRUSSART. *101 comptines et bricolages*, Saint-Laurent, Éditions du Trécarré, 1987, 256 p.

BOILY, Pierre-Yves. *Le Plaisir d'enseigner*, Louiseville, Stanké, 1990, 134 p.

Boîtes bleues, boîtes jaunes, boîtes vertes. Montréal, Productions Jeux de mots.

CASH, Terry, et Steeve PARKER. *100 expériences faciles à réaliser*, Paris, Nathan, 1990, 172 p.

CAYA, Joanne. *D'images en mots*, 3e année, Livret de chansons et cassette, Mont-Royal, Modulo Éditeur, 1986, 30 p.

Commission scolaire La Neigette. *Le Développement de l'estime de soi chez nos élèves*, Rimouski, École Beaux-Séjours, 1993, 91 p.

Compte mon histoire, Volumes 1, 2, 3 et 4, Lévis, Les Éditions À reproduire, 1994.

CÔTÉ, Charles. *La Discipline en classe et à l'école*, Montréal, Guérin, 1992, 231 p.

COURCHESNE-LECLERC, Francine. *Comptines et chansons éducatives*, Montréal, Lidec, 1985, 125 p.

DE CASAUBON, Didier, et Collin. *Drôles de comptines*, livre-cassette, Paris, Larousse, Les Éditions françaises, 1992.

Eduquestions (Le grand saladier), Blainville, Edusco.

Forget, Nicole, et Thérèse Guilbault, *L'Envol – 1re, 2e, 3e année*, Montréal, Les Éditions HRW, 1988, 55 p.

FRANÇOIS, Édouard. *Le Grand Livre de questions et réponses de Charlie Brown*, Tome 5, Paris, Dargaud Jeunesse, 1987, 158 p.

GIASSON-LACHANCE, Jocelyne. *Lecture, activités de vocabulaire visuel en 1re année*, Laval, PPMF, Éditions Ville-Marie, 1981, 607 p.

GORDON, Thomas. *Comment apprendre l'autodiscipline aux enfants*, Montréal, Le Jour Éditeur, 1990, 254 p.

JASMIN, Danielle. *Le Conseil de coopération*, Montréal, Les Éditions de la Chenelière, 1994, 122 p.

Jeu «Perroquet», Montréal, Alliage Éditeur.

KEMP, Daniel. *Mettre fin au décrochage scolaire*, Montréal, Éditions E = mc², 1992, 253 p.

KORNER, Martin. *La Magie des cartes*, Aartselaar (Belgique), Chantecler, 1983, 64 p.

LABONTÉ, Gina, et Micheline RAINVILLE-PÉPIN. *D'images en mots*, 1re année, Livret de chansons et cassette, Mont-Royal, Modulo Éditeur, 1986, 30 p.

LANDRY, Yvan. *Les Pendules 01, Les Balances 02, L'Électricité, Les Graphiques, Les Régularités, Les Probabilités*, Cap-Chat, collection «Plus faire pour apprendre», Plus faire pour apprendre, 1986.

LE BŒUF, C. *Vocabulaire en images 1 et 2*, Paris, L'École.

Le Conseil des écoles séparées catholiques, district de Nipissing. *Les Mesures*, Ottawa, Centre franco-ontarien de ressources pédagogiques, 1984.

LEGENTIL, C. *La rentrée, L'automne, L'hiver, Les fruits, Les légumes, Le printemps, Les plantes, La mer, L'étang, Les sports et les jeux I et II, Le zoo et le cirque, L'alimentation, Le corps humain, Les dents, Les métiers, Les moyens de transport, La maison, Les vêtements*, collection «Activités d'enrichissement», Vanier, Centre franco-ontarien de ressources pédagogiques, 1989-1990.

Les Trousses éducatives: Les Énigmes du Saint-Laurent, Sainte-Foy, Société linéenne du Québec, 1992.

Mon grand livre de travaux manuels, Aartselaar (Belgique), Chantecler, 95 p.

PION, Francine, Mario LOISELLE et Pierre PILON. *Train-train de chansons*, Livre et cassette, Montréal, Éditions Études vivantes, 1983, 40 p.

RAINVILLE-PÉPIN, Micheline. *D'images en mots*, 2e année, Livret de chansons et cassette, Mont-Royal, Modulo Éditeur, 1986, 30 p.

RICHARD, Lucille. *Manège avec Lulu et Miaou*, Montréal, Alliage Éditeur, 1992.

SAMSON-HINDSON, Pauline. *Éveil à l'esprit scientifique chez les petits*, Cahier 1, collection «Éveil», Montréal, Guérin, 1984, 62 p.

SAMSON-HINDSON, Pauline. *Éveil à l'esprit scientifique chez les petits*, Cahier 2, collection «Éveil», Montréal, Guérin, 1990, 56 p.

SAMSON-HINDSON, Pauline. *Éveil aux arts plastiques*, collection «Éveil», Montréal, Guérin, 1985, 182 p.

SCHWARTZ, Susan, et Mindy POLLISHUKE. *Construire une classe axée sur l'enfant*, Montréal, Les Éditions de la Chenelière, 1992, 146 p.

Vocabulaire illustré, Séries A et B, collection «Maximage», Laval, Croquimage, 1988.

Bibliographie

ARCHAMBAULT, Jean, et Monique DOYON. *Du feed-back pour apprendre*, Montréal, C.E.C.M., 1986, 42 p.

ARCHAMBAULT, Jean, et Monique DOYON. *Éloge et approbation*, Montréal, C.E.C.M., 1986, 45 p.

BARATTA-LORTON, Mary. *Faites vos jeux*, Montréal, ERPI, 1980, 255 p.

BENOIT, Francine. «Le jeu vu comme un outil pédagogique», *Vie pédagogique*, n° 56, octobre 1988, p. 4.

BILODEAU, France, et Monique DAMIENS. *Pour s'exprimer et communiquer*, Laval, Mondia, 1990, 237 p.

BRISSON, Véronique. Essai de maîtrise, Sainte-Foy, Université Laval, novembre 1987.

Cahier des objectifs, C.S. Côte-Nord, Ministère de l'Éducation.

CARON, Jacqueline. *Cadre de référence pour la gestion des apprentissages (napperon-enseignant)*, Bic, Centre de formation Jacqueline Caron, 1992.

CARON, Jacqueline. *Des outils pour apprendre (napperon-élève)*, Bic, Centre de formation Jacqueline Caron, 1992.

CARON, Jacqueline, et Ernestine LEPAGE. *Vers un apprentissage authentique de la mathématique*, Victoriaville, Éditions N.H.P., 1985, 189 p.

CARON, Jacqueline. *Quand revient septembre*, Montréal, Les Éditions de la Chenelière, 1994, 450 p.

DE LA GARANDERIE, Antoine, et Geneviève CATTAN. *Tous les enfants peuvent réussir*, Paris, Centurion, 1988, 167 p.

DEMERS, Claire, et Ginette TREMBLAY. *Fiches de communication écrite*, Rimouski, Les Éditions L'artichaut, 1990, 95 p.

DEMERS, Claire, et Ginette TREMBLAY. *Mon échelle de mots*, Rimouski, Les Éditions L'artichaut, 1989, 141 p.

DEMERS, Claire, et Ginette TREMBLAY. *Un éventail de productions écrites par des élèves du primaire*, Rimouski, Les Éditions L'artichaut, 1988, 245 p.

DESAUTELS, Yvon. *Les Coutumes de nos ancêtres*, Montréal, Éditions Paulines, 1984, 55 p.

Fascicule L, Guide pédagogique, Direction des programmes en mathématiques primaire, Ministère de l'Éducation, 1988.

GALYEN, Beverly-Colleen. *Visualisation, apprentissage et conscience*, traduit par Paul Paré, Québec, Centre d'intégration de la personne, 1986, 316 p.

HAYDEN, Torey. *Les Enfants des autres*, Mesnil-sur-L'Estrée (France), Flammarion, 1986, 350 p.

HAYDEN, Torey. *Une enfant comme les autres*, Mesnil-sur-L'Estrée (France), Flammarion, 1988, 362 p.

HENNING, Georges. *Exercices sur la chronologie du temps*, Cornwall, Conseil des écoles séparées, 1982.

KEMP, Daniel. *Devenir complice de l'enfant Teflon*, Montréal, Éditions E=mc^2, 1989, 231 p.

LECOMPTE, Claudette. *L'École par le jeu*, Montréal, ERPI, 1982, 128 p.

LEGENDRE, Renald. *Dictionnaire actuel de l'éducation*, 2e édition, Montréal, Guérin, 1993, 1500 p.

OUELLET, Lisette. «Des enfants en difficulté heureux à l'école», *Vie pédagogique*, n° 67, mai-juin 1990, p 4.

OUELLET, Lisette. *Tableau sur l'apprentissage*, Dégelis, C.S. des Montagnes, 1993.

PAQUETTE, Claude. *Vers une pratique de la pédagogie ouverte*, Ottawa, Éditions N.H.P., 1976, 220 p.

PÉBREL, Christiane. *La Gestion mentale à l'école*, Paris, Retz, 1993, 141 p.

PENNAC, Daniel. *Comme un roman*, Paris, Gallimard, 1992, 173 p.

RIVEST, Lucie. *Ah! non pas une réflexion*, Laval, Les Éditions Le Mascaret, 1992, 60 p.

RIVEST, Lucie. *L'Enrichissement en classe régulière... un défi*, C.S. des Chênes, Laval, Les Éditions Le Mascaret, 1992.

TARDIF, Hélène. *Petits prétextes pour mettre le nez dehors*, La Salle, Hurtubise HMH, 1986, 275 p.

TARDIF, Jacques. *Pour un enseignement stratégique*, Montréal, Logiques Écoles, 1992, 474 p.

TAYLOR C. W. «Cultivating New Talents: A Way to Reach the Educationnally Deprived», *The Journal of Creative Behavior*, vol. 2, n° 2, 1968.

Autres titres

GESTION DE CLASSE

À livres ouverts	*Debbie Sturgeon*
Activités de lecture pour les élèves du primaire	2-89310-160-7
Apprendre... c'est un beau jeu	*M. Baulu-MacWillie, R. Samson*
	2-89310-038-4
Vidéocassette	2-89310-038-4-V
Construire une classe axée sur l'enfant	*S. Schwartz, M. Pollishuke*
	2-89310-049-X
Devoir sans larmes	*Lee Canter*
Guide à l'intention des parents pour motiver les enfants à faire leurs devoirs et à réussir à l'école	2-89310-315-4
Guide pour les enseignantes et les enseignants de la 1re à la 3e année	2-89310-316-2
Guide pour les enseignantes et les enseignants de la 4e à la 6e année	2-89310-317-0
Être prof, moi j'aime ça!	*L. Arpin, L. Capra*
Les saisons d'une démarche de croissance pédagogique	2-89310-198-4
Intégrer les matières de la 7e à la 9e année	*Ouvrage collectif*
	2-89310-319-7
Le conseil de coopération	*Danielle Jasmin*
	2-89310-200-X
Vidéocassette	2-89310-200-X-V
Quand revient septembre	*Jacqueline Caron*
Guide sur la gestion de classe participative	2-89310-199-2
Relevons le défi	*Ouvrage collectif*
Guide sur les questions liées à la violence (7e à 9e année)	2-89310-318-9

APPRENTISSAGE COOPÉRATIF

Apprenons ensemble	*Judy Clarke et coll.*
L'apprentissage coopératif en groupes restreints	2-89310-048-1
Le travail de groupe	*Elizabeth G. Cohen*
Stratégies d'enseignement pour la classe hétérogène	2-89310-206-9

MATHÉMATIQUES

Interactions 1 et 2	*J. Hope, M. Small*
Les mathématiques et la littérature pour enfants	2-89310-183-6
Interactions 3 et 4	*J. Hope, M. Small*
Les mathématiques et la littérature pour enfants	2-89310-192-5
Interactions 5 et 6	
Les mathématiques et la littérature pour enfants	2-89310-235-2
La pensée critique en mathématiques	*Anita Harnadek*
Guide d'activités	2-89310-201-8
Les mathématiques selon les normes du NCTM 9e à 12e année	
Analyse de données et statistiques	2-89310-204-2
Géométrie sous tous les angles	2-89310-205-0
Intégrer les mathématiques	2-89310-203-4
Un programme qui compte pour tous	2-89310-202-6

SCIENCES, TECHNOLOGIE ET ENVIRONNEMENT

La classe verte
Adrienne Mason
2-89310-072-4

L'éducation technologique
Guide pédagogique
Daniel Hupé
2-89310-207-7

Question d'expérience
Activités de résolution de problèmes en sciences et en technologie
David Rowlands
2-89310-169-0

Science en ville
J. Bérubé, D. Gaudreau
2-89310-236-0

Techno, activités pour les élèves
Guide pratique d'enseignement
B. Reynolds et Coll.
2-02-954186-7

INTERCULTURALISME

La classe interculturelle
Guide d'activités et de sensibilisation
Cindy Bailey
2-89310-153-4

Nous, on se ressemble
Ensemble 1er cycle
Ensemble 2e cycle
S. Bédard, M. Coutu-Cardin
2-89310-195-X
2-89310-196-8

ÉVALUATION

Construire la réussite
L'évaluation comme outil d'intervention
R. J. Cornfield et coll.
2-89310-071-6

Faire parler les mots
Guide d'exploitation et guide d'évaluation
William T. Fagan
2-89310-115-1

Profil d'évaluation
Une analyse pour personnaliser votre pratique
Louise M. Bélair
2-89310-314-6

Profil d'évaluation
Guide d'accompagnement
Louise M. Bélair
2-89310-445-2

ADMINISTRATION SCOLAIRE

L'approche-service appliquée à l'école
Une gestion centrée sur les personnes
Claude Quirion
2-89310-237-9

POUR PLUS DE RENSEIGNEMENTS OU POUR COMMANDER, COMMUNIQUEZ AVEC NOTRE SERVICE À LA CLIENTÈLE AU (514) 273-8055

Les Éditions de la Chenelière inc.
215, rue Jean-Talon Est
Montréal (Québec) Canada H2R 1S9
Téléphone: (514) 273-1066
Service à la clientèle: (514) 273-8055
Télécopieur: (514) 276-0324

Chenelière

• Cap-Saint-Ignace
• Sainte-Marie (Beauce)
Québec, Canada
1997